電子仕掛けのラビリンス

石川宏千花

Hirochika Ishikawa

電子仕掛けのラビリンス

石川宏千花

目次

誘惑《ゆうわく》のエリア

1

いまでも夏子は、ＨＯＯＰという言葉を耳にすると、ぞっとなる。

ほんの少し前まで、ＨＯＯＰは夏子の敵だった。

きっと、誰《だれ》に話しても信じてもらえない。

悪夢のようなあの日々と、そして……ともに戦った彼《かれ》のことを。


帰りのバスが、なかなかこない。

バス停には、同じ制服を着た女の子たちが鈴《すず》なりになっている。

となりにいたユキナが、ねえ、なっちゃん、と声をかけてきた。同じことを、またきいてくる。

「なっちゃんはさー、どうしてそんなにＨＯＯＰをやるのがいやなの？」

「理由はないよ。ただ、いやなだけ」

ユキナは、くちびるを軽くとがらせて、みんなやってるのにー、といった。

夏子は思う。

こっちこそ、ききたいよ。

その、『みんなやってるのに』が、ユキナがなにかするときの基準になるのはなんでなのって。

HOOPというのは、最近、急激に知名度をあげたSNSの無料アプリのことだ。

女子中高生に人気のある有名人たちが一斉《いっせい》に使いはじめたのがきっかけで、いままで主流だったアプリから乗りかえる子が激増したらしい。

だから、ユキナもHOOPに乗りかえた。

夏子にとってユキナは、小学校からの幼なじみだ。

バスで通える場所に、夏子がいきたかった中高一貫《いっかん》の女子校があって、受験すると話したら、当然のようにユキナも志望した。無事にふたりとも合格して、いまは同じ中学校の三年生だ。まわりからは親友同士だと思われている。

夏子自身、いちばん親しい友だちは誰《だれ》かとたずねられたら、ユキナの名前をあげるだろうな、と思うほどには大切な存在なのだけど——。

ユキナの人なつっこいところや、いやなことがあっても引きずらないところは好きだし、いっしょにいて居心地がいいとも思う。ただ、なんでもかんでもみんなと同じがいい、という考え方にだけは、どうしても首をかしげてしまう。みんながやってたって、自分がやりたくないことはやらなくてもいいはず。

夏子は、そう思っている。

スマホを持つようになってからも、夏子は一貫《いっかん》して、ＳＮＳというものには距離《きょり》を置いてきた。

中学に入学したタイミングで、ＨＯＯＰの前に流行《はや》っていたアプリにクラス全員で登録しよう、という話になったこともあるけれど、夏子だけが登録をしなかったほどだ。

家にいるときまでクラスメイトたちの動向を気にするなんてまっぴらだ、と思ったし、逆に、自分のことを気にされたくない、とも思った。

『夏子って変わってるよね』

仲よくなった子たちには、決まってそういわれる。

『異端児《いたんじ》すぎるよー』

異端児《いたんじ》、とまでいわれたときには、ちょっと笑ってしまった。

そこまで思われている自分がクラスの中で浮《う》いたりしていないのは、ちょっとした奇跡《きせき》のようなものだと夏子は思う。

この容姿のおかげなんだろうな、とも。

夏子の父親は元水泳選手で、母親は元モデルだ。そろって身長は180センチ近くある。加えて母親の祖父はドイツの人で、夏子にも、わずかながら異国の血が混ざっている。そういう理由で夏子の容姿は、日本人としては少しばかり規格外なのだった。

中学三年生にして身長は165センチを超《こ》えているし、食べても太らない体質だから、手足はひょろりと細長く、顔も小さい。髪型《かみがた》がショートなこともあって、どうしても頭身が高く見られがちだ。

ユキナいわく、『なっちゃんは早くモデルになったほうがいいと思う』な夏子の体型を、クラスメイトたちはうらやましがっている。

だから、異端児《いたんじ》、といわれてしまうほどの夏子でも、疎外《そがい》されたり、見下されたり、といったことを経験したことがないのだった。

「あ、バスきた」

やっと姿を見せたバスに、思わずはずんだ声を出した夏子に、ユキナは小さくため息をついた。

「どうしてなっちゃんは、わかってくれないのかなー」

ユキナのいいたいことは、わかっている。

自分にとっていちばん仲のいい子がＨＯＯＰにいないのは、すごくさみしいことなんだよ――だ。

それでも、いやなものはいやなんだからしょうがない。

このときの夏子は、そう思っていた。

2

「なっちゃん、きょうクラス委員の仕事で居残りでしょ？　ユキナ、ちょっと寄るところあるから、先に帰るね」

クラスのちがうユキナが、わざわざ昼休みにそういいにきたとき、夏子はちょっと拍子抜《ひょうしぬ》けしたような気分になった。

登校も下校も決まっていっしょで、夏子に用事があって帰りが遅《おそ》くなるときでも、校内のどこかでユキナが待っているのは当たり前のことだったからだ。

友人たちから、からかわれたことがある。

ユキナは当分、〈なっちゃん離《ばな》れ〉できそうにないよね、と。

夏子もそう思っていたのだけれど、この様子だと、案外そうでもないのかもしれない。

自分が知らないうちに、ユキナにはユキナだけの交友関係ができて、自然と〈なっちゃん離《ばな》れ〉をしていくのかも……。

なんとなく肩《かた》の荷がおりたような気もしたし、大切にしていた宝物が古びてしまっていたのを発見したときのような気持ちにもなった自分が、夏子は少し意外だった。

小学校の三年生のときにユキナと同じクラスになるまで、夏子はひとりでいることが多かった。

本を読んでいるのが好きだったし、自分から積極的に誰《だれ》かに話しかけるのが苦手だったのもある。

そんな夏子に、ユキナは休み時間のたびに話をしにきてくれたり、いっしょに帰ろうと誘《さそ》ってくれたりした。

夏子は思う。

自分はきっと、いったんクラスの中で浮《う》きはじめたら、どこまでも浮《う》いてしまっていたんだろうな、と。

そんな自分の手を、みんなとつながっていることを大切にしているユキナが離《はな》さずにいてくれたから、ＨＯＯＰもやっていないような〈異端児《いたんじ》〉でも、みんなとつながっていられた——。

どんなにつれなくＨＯＯＰへの登録を断っても、すぐにまたけろっとした顔で誘《さそ》ってくる子犬のようなユキナを思い出して、なんだか胸がきゅっとなった。

「夏子、これもいっしょに先生のとこ持ってっちゃおう」

いっしょにクラス委員をやっているキッシー——名字の岸川が由来でそう呼ばれている——から話しかけられて、夏子は、はっと顔をあげた。

「あ、うん。そうだね」

集めたアンケート用紙の束を胸の前に抱《かか》えながら、椅子《いす》から立ちあがる。

「そういえば、こないだおもしろいこと聞いちゃった」

つれだって教室を出ていく途中《とちゅう》、キッシーがふいに、思い出し笑いをした。

「夏子はさ、スマホ持ってないんじゃないかってうわさがあるらしいよ」

「えー？　なにそれ」

「夏子とは三次元でしかコンタクト取れないって。さすが夏子さまだよねって」

おもしろがっているキッシーを、夏子はひじで軽くつついた。

「あはは、ごめん。今度その手のうわさが耳に入ったら、夏子はちゃんとスマホ持ってるよっていっとくから」

「絶対だよ？」

「わかったわかった」


その日の夜。

いつも必ずあるユキナからのメールがなかった。

まだうちに帰ってないのかな、と思いつつ、時計に目をやる。とっくに十時を過ぎていた。

なにもない日のユキナの門限は八時だ。

久しぶりに、自分からユキナにメールをしてみることにした。まだ家に帰っていないのかと、心配になったからだ。

【いまどこ?】

文字だけのあっさりしたメールを送ると、一分も経たないうちに返信があった。

【うちだよー。どうしたの? なっちゃんからメールなんてめずらしい!わーん、うれしいよー】

いつもと同じ、人なつっこいユキナからのメールだった。

【メールないから、まだ外なのかと思って】

【ごめん! いま、ちょっとHOOPに没頭《ぼっとう》しちゃってたから】

【そっか】

【えへ、なっちゃんからメールくれてホントうれしかったー】

【ばか】

【ひどーい。でも、好き】

ユキナとメールのやり取りをしていると、ときどき自分がユキナの彼氏《かれし》のような気分になることがある。

それくらい、ユキナは愛情表現がストレートだ。

夏子はそういうことができないタイプだから、決まって適当に流してしまうのだけど、ユキナとのこの恋人《こいびと》ごっこのような関係が、きらいなわけではなかった。

ユキナと連絡《れんらく》が取れたことでほっとした夏子は、スマホを充電器《じゅうでんき》につなぐと、ベッドにもぐりこんだ。

楽しみにしていた新刊のつづきを読みはじめる。

夏子にとって、ベッドに入ってからのこの時間が、なによりもしあわせな時間だった。

みんなのようにSNSでのやり取りが習慣になってしまったら、この時間をけずらなくてはいけなくなる。

それだけは、できなかった。

3

夏子とのメールのあと、ユキナはまたＨＯＯＰにもどって、そのまま朝までやり取りをつづけていたらしい。

そこまでは登校中に聞いていたのだけど、放課後になって、夏子は思いがけないことをユキナから知らされた。

「え？　きょうもいっしょに帰らないの？」

「そうなのー。ごめんね、なっちゃん。きのう会ってた人と、きょうも植物公園前駅で待ち合わせしてるんだ」

急に、胸がざわっとなった。

「ちょっと待って。誰《だれ》？　きのう会ってた人って」

「んー？　えっとね、写真のサイトの管理人さん」

「なにそれ……そんな人と会ってたの？」

「ファンなんですってメッセージ送ったらね、たまたま近所に住んでるのがわかって。で、だったら会おうってなったんだー」

「なんでそんな誘《さそ》いにのっちゃったんだよ！　だめじゃん、そんなの。その人、男の人でしょ」

「男の人だけど……でも、ぜんぜんそういう人じゃないから、ニルさんは！」

「ニルさん？」

「そう、ニルさんっていって、美大に通ってる人でね、写真の勉強してるの。で、自分の撮《と》った写真をサイトで発表してて、それがすっごく素敵なの！」

ユキナは瞳《ひとみ》を輝《かがや》かせながら、夏子に熱弁をふるった。

「なっちゃんも見てみて！〈スイッチャー〉ってサイトだから」

中学生の女の子からのメッセージにすぐに反応して、しかも、近くに住んでるから会おう、だなんて。いくらユキナが、そんな人じゃない、といったって、夏子にしてみれば、そんな人、以外のなにものでもなかった。

写真のサイトとやらも、ひどくうさんくさく思えてくる。本当は、ユキナみたいに写真を見てコンタクトを取ってくる女の子が目的なんじゃないのって。

「ねえ、ユキナ。やめなよ、そんなよくわからない人と会うの。っていうか、どうしてきのう、ちゃんとわたしに話してくれなかったの？」

「えー、だって、いったらなっちゃん、いっちゃだめっていうと思ったから」

「いうよ、当たり前じゃん！」

「だからいわなかったんだよー」

夏子はちょっとあきれてしまって、すぐには返事ができなかった。

「だいじょうぶだよー。ニルさん、すっごくいい人だから。きょうだって、きのうＨＯＯＰで盛りあがったときに貸してもらうことになった本、受け取りにいくだけだし」

そこでようやく夏子は、きのうの夜、ユキナが没頭《ぼっとう》していたＨＯＯＰでのやり取りの相手が、クラスメイトや小学校時代の友だちではなかったことを知った。

ユキナによると、きのう会ったとき、おたがいＨＯＯＰをやっていることがわかったので、さっそくやり取りをするようになったそうだ。

あぜんとしてしまったあと、猛烈《もうれつ》な警戒心《けいかいしん》が襲《おそ》ってきた。

サイトでつながって、実際に会って、会ったらＨＯＯＰでやり取りをすることになって、夜中まで盛りあがったその翌日に、また会う約束？　そんなの展開が早すぎる。なんかおかしい！　おかしすぎるよ！

そう思った夏子は、必死にユキナを止めた。

「本当にもう会うのはやめたほうがいいって。ユキナはいい人だっていうけどさ、いい人のふりしてるだけかもしれないじゃん」

「だいじょうぶだってばー。なっちゃんが心配してくれるのはうれしいけど、ニルさん、ホンットーにいい人だから」

こういうとき、意外とユキナは頑固《がんこ》だ。結局、ユキナとは学校の前で別れた。


翌日。

ユキナは学校を休んだ。

朝早く、ユキナのお母さんから夏子の母親に、熱を出したので休ませます、なっちゃんによろしくお伝えください、と電話があったのだ。

おとといとはちがって、きのうの夜はちゃんと、ユキナのほうからメールがあった。

ニルさん、本当にいい人だよー。会ってるときも楽しいし、HOOPで話してると、もっと楽しい！　そんなようなことが、くり返しつづられていた。

もしかすると、夏子にメールをしたあと、また朝までニルという人とHOO

Pをしていたのかもしれない。
それで今朝、起きられなくて、お母さんには熱が出たってうそを……。
ううん、ちがう。
もしかすると、本当は会ってたときになにかあったのかもしれない。
家に帰ってきてからのメールは全部、心配させないためのうそだった？
……わからない。
なにが本当なのか。
どちらにしても、ユキナはきょう、学校を休む。
その理由はまちがいなく、きのう会った人にあるはずだ。
夏子にはそれが、ひどくおそろしいことのように思えてしょうがなかった。

4

通学途中《とちゅう》、夏子はユキナに電話をかけてみた。

「え、なっちゃん？　どうしたの直電なんて。いま、どこ？」

「バス停。バス待ち中。っていうか、やっぱりユキナ、元気なんじゃん」

「わーん、ごめんなさーい。きのうも朝方までニルさんとＨＯＯＰで盛りあがってたら、もうぜんぜん起きられなくって」

「……それだけ？　そのニルさんって人と会ってるときになにかされたとかじゃなく？」

ユキナはおおげさに、えーっ？　と騒《さわ》いでから、ないないない！　とさけんだ。

「ニルさんとは、本だけ貸してもらって、すぐに別れたよー」

「じゃあ、本当に、起きられなかっただけ？」

「うん」

それはそれで、問題あり、だ。夏子は、はーっと大きく息を吐《は》いた。

「ごめんね、なっちゃーん。きょうだけ！　きょうだけだから許してー」

「……っていうかさ、ホントにその人、いい人？　ユキナが中学生だってこと、知ってるんだよね？　それなのに朝までつきあわせるなんて、ちょっと常識なくない？」

ユキナは、けろっとして言った。

「ちがうよー、ユキナがつきあわせたんだもん」

警戒《けいかい》しよう、という気にはまったくなっていないようだった。

心配していってるのに……。

なんだかちょっとイライラしてきてしまった。

「……わかったよ。じゃあ、切るね」

ほとんど一方的に通話を終えると、ちょうどバスがくるところだった。スマホを通学バッグの中にもどしながら、バスに乗りこむ人たちのあとにつづく。

つり革につかまると、夏子は、はあ、と短くため息をついた。


その翌日も、ユキナは学校を休んだ。

ユキナのお母さんからは、熱がさがらないみたいで……とまた連絡《れんらく》があったけれど、もちろん、夏子にはそれがうそだということはわかっていた。

「ユキナちゃん、どうしちゃったんだろうね。二日も学校お休みするなんて」

夏子の母親も、ユキナのお母さんからの連絡《れんらく》に首をかしげていた。

夏子はあいまいに、ホント、どうしたんだろうね、と相づちを打ちながら、それにしても、と思った。

まさかユキナが、こんなに急激に、ネットを通じて知り合った人とのやり取りにハマってしまうなんて、と。

二日も学校を休むなんて、ふだんのユキナなら考えられないことだった。

ユキナのいいところは、みんなと同じがよくても、それが校則で禁止されていることだったり、両親からしちゃだめだといわれていることだったら、なるべくしないように努力しているところだ。

だから、よほどのことがない限り、学校だってずる休みしたりなんかしない。

きのうと同じように、夏子は通学途中《とちゅう》のバス待ち中に、ユキナに電話をかけた。つながらない。何度かけても、つながらなかった。

不安な気持ちが、どんどん大きくなっていく。

その日の授業は、ろくに頭に入ってこなかった。

「ごめんね、なっちゃん。あの子、どうしてもいま、起きられないみたい」

ユキナのお母さんが、リビングのソファに腰《こし》かけて待っていた夏子のところにもどってくるなり、申し訳なさそうにまゆをさげた。

「……そうですか」

学校帰りにそのままユキナの家に寄ったので、夏子は制服姿のままだ。

「本当にごめんね、わざわざ心配してきてくれたのに」

「いえ、勝手にきちゃったわたしも悪いんです。じゃあ、また」

玄関《げんかん》まで見送りにきてくれたユキナのお母さんに、ぺこりと頭をさげる。

門を出てから、ユキナの部屋がある二階をふり返ってみた。

幾何学《きかがく》模様のカラフルなカーテンが、レースのカーテン越《ご》しに閉まっているのが見える。

もしかして開くんじゃないかと思ってしばらく待ってみたけれど、カーテンは閉ざされたままだった。

5

その夜遅《おそ》く、ユキナからやっとメールが届いた。

【なっちゃん、きょう、電話にも出られなくて、メールも返事できなくて、それに、うちにもきてくれたのに、会えなくてごめんね。ユキナ、きょうは本当に具合悪かったんだ】

ホントかな？　と思いはしたものの、夏子は、本当に具合が悪かったのならしょうがないよ、と返事をした。

【あしたは、だいじょうぶそう？】
【もちろん！　きょういっぱい寝《ね》たから、あしたはだいじょうぶだよー】

夏子は、ユキナのメールを信じることにした。

【わかった。じゃあ、あしたね】
【おやすみ、なっちゃん。大好きだよー】

いつもどおりの、まるきり彼氏《かれし》に送るようなユキナのメールの文面に、夏子は思わず、ふ、と笑ってしまった。

あしたの朝は、ユキナといっしょに学校にいける。

そんなささやかなことが、なんだか無性にうれしかった。


いつもどおりの朝だった。

いつもの待ち合わせの場所に現れたユキナは、いつもの人なつっこい笑顔を見せて、「おはよう、なっちゃん！」といった。

ほんの少しだけ顔色が悪かったことをのぞけば、本当に、いつもどおりのユキナだったのだ。

それなのに——。

午後の最初の授業が終わってまもなく、別のクラスの子が、いきなり夏子たちの教室に駆《か》けこんできた。

「夏子、たいへん！　ユキナが授業中にスマホいじってんの見つかって、いま、職員室つれてかれてる！」

「うそ！」

「やばいじゃん！」

「なにやってんだよ、ユキナー」

そんな声があちこちからあがる中、夏子はあわてて教室から飛び出した。

夏子たちの学校では、学校にいるあいだのスマホの使用は、かたく禁じられている。電源も、基本的には切っておかなければいけないほどだ。

もちろん、休み時間にこっそりトイレで……という子も、中にはいるようだけど、授業中に使っているところを見つかるなんて、ちょっと考えられない失態だった。

廊下《ろうか》を足早に歩いていくあいだ、夏子はひたすら、ユキナのばか、と頭の中でくり返していた。

どうせHOOPをやっていたにちがいない。

なんであんなものに夢中になっちゃうんだろう……。

夏子には、まるで理解できなかった。

職員室の前までいくと、ユキナがちょうど中から出てくるところだった。

「ユキナ！」

名前を呼びながら駆《か》け寄っていくと、ユキナも、たたたっと小走りに夏子のもとへとやってきた。

「なっちゃーん、スマホ、没収《ぼっしゅう》されちゃったよー」

「当たり前だよ！　授業中に使ったんでしょ？」

「ちょっとだけだよー。なんか話しかけられてるかもって思ったら、気になってしょうがなくなっちゃったんだもん」

だから、ほんの一瞬《いっしゅん》、電源を入れてＨＯＯＰの画面をチラ見した、ということらしい。

「あのさあ、ユキナ。一瞬《いっしゅん》だろうがなんだろうが、電源を入れること自体だめなんだよ。わかってるよね？　それくらい」

「わかってるけど……でも……」

でも、でも、といいながら、ユキナはとうとう泣き出してしまった。

「ユキナ……泣いたってしょうがないじゃん」

「だって、なっちゃんが怒《おこ》ってるんだもん」

だったら、どうして怒《おこ》りたくなるようなことばっかりするんだよ、とはいわなかった。

それはあまりにも上からの発言だと、夏子にもわかっていたからだ。

自分とユキナはちがう。

自分が気に入らないからといって、ユキナのすることを全否定することはできなかった。

6

ユキナは今後三日間、登校したらすぐ、職員室にスマホをあずけることになった。

その三日のあいだ。

ユキナはまるで亡霊《ぼうれい》のようだった、と同じクラスの子たちから教えてもらった。

いまのユキナにとっては、スマホがなによりも大事なものになってしまっているのかもしれない。

もともとユキナは、HOOPをはじめとするSNSでみんなとからむのが大好きで、夏子に送ってくるメールの数も、かなり多かった。

それでも、日常生活に影響《えいきょう》するほどめちゃくちゃな使い方はしていなかったはずだ。

スマホの利用は夜の十時まで、という両親と決めた約束もちゃんと守っていたし、もちろん、学校で電源を入れるようなことだって、夏子が知る限り、一度もなかった。

そのユキナがここ数日で確実に、スマホ依存《いぞん》のような状態になりつつある。

夏の黒い雨雲のように、夏子の中に急速に広がっていく気持ちがあった。

不安?

いらだち?

おびえ?

そのどれでもあって、どれでもないような、ひどくもやもやした気持ちだった。


「……ねえ、ユキナ」

「なあに?　なっちゃん」

放課後、ふたりでファミレスに寄った。

向かい合って座ってから、かれこれ三十分にはなる。

そのあいだ、ユキナは一度もスマホの画面から目を離《はな》さなかった。

夏子とは、ちゃんと会話をしている。だけど、目は夏子を見ていない。

夏子の呼びかけに、なあに？　と答えながらも、ユキナの目はやっぱり、スマホの画面をじっと見つめたままだ。

こんなことは、いままでになかった。

一向にこちらを見ようとしないユキナの顔を真っすぐに見つめて、夏子はいった。

「ちゃんと話したいから、スマホ、いったんやめない？」

「あっ、うん、ごめんね。あとちょっとで区切りつくと思うから……」

ユキナはやっぱり、顔をあげない。スマホの画面に夢中だ。

「ユキナ！」

夏子のけわしい声に、やっとユキナが顔をあげた。夏子が怒《おこ》っているのが、不思議でしょうがない、という表情だ。

夏子は席を立った。

「……もういい。好きなだけやってなよ」

腹が立った、というよりは、悲しかった。悲しくてたまらなくなって、席を立った。

「えっ、なっちゃん？　どうしたの？　もう帰っちゃうの？」

自分の分のドリンク代をテーブルに置くと、夏子は足早に、ユキナのそばから離《はな》れた。

ニルさんとかいう人とＨＯＯＰをやるようになってから、ユキナのスマホとのつきあい方は、度を超《こ》すようになった。

いくらなんでもこれはちがうよね、と夏子は思う。

だけど、ユキナには夏子のそんな気持ちが理解できないのだ。

どんどんＨＯＯＰにハマっていってしまうユキナの気持ちが、夏子には理解できないのと同じように。

「どうすればいいんだよ、もう……」

店の外に出た夏子は、ふうっ、と大きく深呼吸をした。

通学バッグの中で、スマホが震《ふる》えている。

ユキナが電話をかけているのだろう。

走って出てきてつかまえたほうが早いのに……。

夏子は、震《ふる》えつづけているスマホを手に取ることなく、バス停に向かって歩き出した。

次の日、夏子はいつもより早く家を出て、ユキナとの待ち合わせ場所のコンビニの前を、約束の時間より早めに通りすぎた。

ユキナにはちゃんと、きょうは先にいくから、とメールしておいた。きのうのきょうで、ユキナといつものようにいっしょにいられる自信がなかったからだ。

人に迷惑《めいわく》をかけたり、相手を心配させるようなことはなるべくしないようにと心がけている夏子が、そういうことをするのは、本当に珍《めずら》しいことだった。

それくらい、夏子もまいってしまっていたということだ。

だけど、のちのち夏子は、この日のことをひどく後悔《こうかい》することになる。

ユキナのスマホへの依存《いぞん》がさらにひどくなったのは、この日が境だったからだ。

7

ユキナが二度目のスマホ没収《ぼっしゅう》を食らって、職員室で大暴れをしたのは、夏子がユキナと別々に登校した翌日のことだった。

その日は逆に、ユキナのほうが、朝の待ち合わせにやってこなかったのだ。夏子のようにメールで断りを入れるわけでもなく、一方的に約束をすっぽかしたのだけれど、夏子はもう、ユキナを叱《しか》らなかった。

休み時間になっても、どうして待ち合わせをすっぽかしたの、と問いただしにいったりもしなかった。

学校にちゃんときているのかすら確かめていなかったから、ユキナが起こした騒《さわ》ぎのことが耳に入ったとき、まっ先に、ああ、ちゃんと学校にきてたんだ、と思ったほどだ。

そのあとに、具体的にユキナがどんなふうに職員室で暴れたのか、複数のクラスメイトたちから聞かされた。聞いているあいだ、ちょっと頭がぼーっとなってしまった。

先生たちに向かって、「泥棒《どろぼう》！」とさけんだり、強引にスマホを奪《うば》い返そうとして、先生の顔にひじを強くぶつけてしまったりしたらしい。

あのユキナが、そんなことを……。

結局、ユキナは一週間の謹慎《きんしん》処分を受けることになった。

そのあいだ、夏子は何度もユキナに電話をしたし、メールも送ったけれど、本人とは一度も連絡《れんらく》が取れないままだった。

そして、謹慎《きんしん》が明けてから三日経ついまも、ユキナはまだ、学校にきていない。

そんなユキナに、ユキナのお母さんも困り果てているようだった。

何度かもらったメールによると、人が変わったように自分の部屋に閉じこもって、ずっとスマホをいじっているのだという。

まるで悪い夢でも見ているようだった。

こんな劇的な変化がユキナに起きるなんて、ほんの何日か前までは、予兆すらなかったのに。

せめて、あの日。

ファミレスを飛び出してしまったあの日、ユキナと向き合うことをやめてしまわなければ、と夏子は思った。ちゃんと向き合って、いまのユキナはどう考えても度を超《こ》してるよって伝えられていたら——。

ユキナをもとのユキナにもどすのは自分の役目だと、夏子は思った。ほかの誰《だれ》でもない。自分だと。

まず、なにをすればいいんだろう。

夏子は考えた。

ユキナがここまでスマホに依存《いぞん》するようになったきっかけは、ユキナがニルさんと呼んでいたあの人の存在が大きい。

あの人と会って、そして、HOOPでもやり取りをするようになって、ユキナはHOOPにのめりこんでいくようになった。

コンタクトを、取ってみよう——。

夏子は、お風呂《ふろ》から出てくるとすぐに、ベッドに腰《こし》かけながらスマホを手に取った。

ユキナがニルさんについて話していたときのことを思い出してみる。

写真のサイト。サイト名は、〈スイッチャー〉。ニル、という名前。

夏子はすぐに、写真、スイッチャー、ニル、で検索《けんさく》をかけてみた。

出た。

トップページに、霧《きり》のかかった森の写真が大きく使われている。ちょっと見入ってしまったくらい、幻想的《げんそうてき》で素敵な写真だった。

ほかの写真も見てみたい気持ちを抑《おさ》えながら、プロフィールのページを呼び出す。

名前やおおまかな在住地、写真のコンテストでの受賞歴、趣味《しゅみ》なんかのほかに、フリーメールのアドレスも載《の》せられていた。

まずはコメントを送って、それからやり取りをはじめるのが安心だということはわかっている。だけど、そんなまどろっこしいことはしていられなかった。

夏子は思いきって、最初からメールを送ることにした。

素敵な写真ばかりですね。ファンになりました。ちなみにわたし、近所に住んでいます。

そんなようなことを、夏子なりに女子中学生っぽい文面でつづって送ってみた。

一時間ほどして、夏子のスマホにメールを着信したことを知らせる光が灯った。

【こんばんは、夏子さん。ニルです。メールもらえてうれしいです。ありがとうございます】

スクロールしていく。

【家、近いんですか。だったら、あしたの夕方、植物公園前駅の広場で会いませんか?】

さらに、スクロール。

【最近、あの辺りで夕日の写真撮《と》ってるんで。夏子さんの都合のいい時間に遊びにきてください。一眼レフかまえてるメガネのやつがいたら、それがぼくです】

あしたの夕方。植物公園前駅。

もちろん、いくつもりだった。

8

「……いた」

一眼レフをかまえた黒ぶちメガネの男の人。

駅前の小さな広場に置かれたベンチのわきに、その人はいた。

しゃがみこんで、カメラのレンズを地面に向けている。

なにを撮《と》ってるんだろう、と思いながら、背後から近づいていってのぞきこむと、そこには茶トラの猫《ねこ》がいた。

ごろんと仰向《あおむ》けにねころがっていて、その白いおなかに、夕日のオレンジをたっぷりと浴びている。

カメラのレンズは、夕日に染まった猫《ねこ》のおなかを狙《ねら》っていたのだった。

夏子がのぞきこんでいることに気がついたのか、黒ぶちのメガネをかけた顔が、ひょいとうしろを向く。

「あ、もしかして、夏子さんですか」

「あ、はい。夏子です」

おたがいに、あ、といってから話し出したのが、なんだかおかしかった。

「ニルさんですよね？」

「はい、ニルです」

立ち上がったニルは、１６５センチ以上ある夏子よりも、さらに目線が上だった。１８０センチちょっとある父親と同じくらい、頭の位置が高い。

それでいて、元水泳選手の父親のように体格がいいわけではなく、ひょろりとしているので、威圧感《いあつかん》のようなものはいっさいなかった。

黒ぶちのメガネとの相乗効果で、いかにも文系の男の人、という印象だ。

なるほど、これはユキナがいい人だと断言するわけだ、と夏子は思った。

「あー、その制服。じつはぼく、何日か前にも、サイト見てメールくれた女の子とここで会ったんですけど、その子も同じ制服着てたんですよねえ」

ニルは、おっとりとした口調でしゃべりながら、先にベンチに腰《こし》をおろした。

どうぞ、というように目線でうながされたので、少しあいだを空けてとなりに座る。

「その子、ユキナ……って子じゃないですか?」

「そうですそうです、ユキナちゃんです」

「友だちです。わたし、ユキナにニルさんのサイト、教えてもらったんです」

「そうだったんですか。じゃあ、ユキナちゃんにお礼いわなくちゃですね。うちのサイト、宣伝してくれてありがとうございますって」

ニルが、にっこりと笑う。

その笑顔に、なぜだか夏子は、なにかを見間違《みまちが》えたような、これまで感じたことがない不思議な気持ちになった。

なんだろう、この感じ……。

夏子には、自分が感じた不思議な気持ちの正体がわからなかった。

わからないままニルの顔をじっと見つめていると、カシャ、とシャッターを切る音が聞こえてきた。

「あ、ごめん。あんまりきれいに夕日が目の中に映ってたから、つい」

断りもなく撮《と》られたことへの怒《いか》りよりも、ニルがどんな写真を撮《と》ったのか知りたい、という好奇心《こうきしん》のほうが勝った。

サイトのトップページにあったあの森の写真。

ああいう写真を撮《と》る人が、自分をどう撮《と》ったのか、気になった。

「見せてください」

「あ、うん」

ニルは、撮《と》った画像を呼び出してから、カメラを手渡《てわた》してくれた。

目もとだけの写真だ。

その目の中に、鮮《あざ》やかな夕日のオレンジが映りこんでいる。

人の目の中に、こんなふうに夕日って映りこむものなのかと、夏子は驚《おどろ》いた。

まるで魔法《まほう》を使って撮《と》った写真のようだった。

「すごい……」

思わず、感嘆《かんたん》の声が漏《も》れたことに気がついて、あわてて口もとを手でおおう。

「これ、保存してもいいかな。すごくよく撮《と》れてるから、ぜひ、保存させてもらいたいんだけど」

夏子は少し迷ってから、はい、と答えた。

「ただし……」

そういって夏子は、ニルにカメラを返そうとする手を止めて、条件を出した。

「ユキナとＨＯＯＰでやり取りする時間を減らす、と約束してくれるなら」

そうすれば、この写真を保存してもいい。

夏子はニルに、そう伝えた。

9

ニルは、人質のように夏子の手の中にとどまったままのカメラをじっと見つめながら、いった。

「いやだっていったら、消さなくちゃいけないの？」

「はい」

「う〜ん、その写真を消さなくちゃいけないのは惜《お》しいけど、それと引き換《か》えにユキナちゃんとＨＯＯＰでやり取りする時間を減らすのはいやかな」

ニルの答えを聞いて、夏子は、ふ、と小さく息を吐《は》いた。

そう簡単にはいかないか……。

仕方なく、夏子はニルにカメラを返そうとしたのだけど、今度はニルのほうから、思いがけないことをいってきた。

「夏子ちゃんがぼくとＨＯＯＰをしてくれるんだったら、いいよ」

「え？」

「ユキナちゃんとのＨＯＯＰの時間を減らす代わりに、その分、夏子ちゃんがぼくとＨＯＯＰをする。それなら、納得できるんだけどな」

ニルは、にっこり笑ってスマホを取り出した。

「だって、その写真とユキナちゃんとのＨＯＯＰの時間じゃ、同等の対価にならないからね」

どうする？　というように、ニルは右手ににぎったスマホをふるふるとふった。

迷う気持ちはあった。

だけど、ほかにユキナをいまの状況《じょうきょう》から救い出す方法が思いつかない以上、ニルのいうとおりにするしかなかった。

「……わかりました。ちょっと待ってください。いま、ＨＯＯＰに登録しちゃうんで」

夏子がそう答えると、夕日がまぶしかったのか、ニルがすっと目を細めた。

「いま登録するってことは、いままでHOOPはやってなかったってことだよね。どうして？」

「理由はないです」

「ただ、したくなかっただけ？」

「そうです」

ニルの問いかけに答えながら、てきぱきと登録を進めていく。

「夏子ちゃんは、自分がHOOPをはじめたこと、まわりに知らせたくない人？」

途中《とちゅう》、ニルにそうたずねられたので、できれば、と答えた。

するとニルは、事前にある操作をしておく必要があると、教えてくれた。アドレス帳に登録している人の中にHOOPをやっている人がいると、自動的にHOOPはじめたことがわかってしまうのだという。

夏子は迷わず、まわりに知られないように登録する方法を選んだ。

「……登録、できました」

あんなに拒《こば》んでいたHOOPへの登録は、あっさりと終わった。

約束どおり、ニルはさっそくその夜から、ＨＯＯＰで夏子に話しかけてくるようになった。

この時間はいつも、ユキナちゃんとＨＯＯＰをしていたから、と。

ニルとのＨＯＯＰでの会話は、決して退屈《たいくつ》なものではなかった。

それどころか、話題が豊富で、どれだけ長い時間やり取りをつづけていても、飽《あ》きるということがないのだった。

夏子がいちばん興味をそそられたのは、とある写真集の話だ。

世界中の奇妙《きみょう》な建物や景観ばかりを集めた写真集で、まるでファンタジーの世界をそのまま写真に収めたような一枚が、これでもかと集められているらしい。

夏子が興味を持っていることを知ると、ニルはすかさず、貸そうか？　といってきたけれど、夏子は断った。

図書館にいけば、借りられるはずだから、と。

ニルはいった。

きみはユキナちゃんとはまったくタイプがちがうんだね、と。

「ふあ……」

こらえようとしても、あくびが出てしまう。

めざといキッシーが、「めずらしいね」とつっこんできた。

「夏子が眠《ねむ》そうにしてんのなんて」

「きのう、夜更《よふ》かししちゃって」

「お、もしかして、いい動画、見つけちゃった？」

キッシーは、大のおもしろ動画好きだ。特に、動物系の動画には目がない。

「キッシーは本当におもしろ動画が好きだね」

「好きですよー。で？　なんか見つけた？　見つけたんなら送ってよー」

他愛のない話をしているうちに、先生が教室に入ってきた。

窓際にいた夏子たちは、足早に散らばって、各自の席へと急いだ。

結局、ニルとは十二時過ぎまでＨＯＯＰをやっていた。

そのあいだ、ニルはユキナとはいちどもコンタクトを取っていないことになる。

毎晩のように朝までＨＯＯＰをやっていたニルが、急にコンタクトを取ってこなくなったのだから、いまごろユキナは、不安になっているはずだ。

かわいそうな気もするけれど、いまはどうにかして状況《じょうきょう》を変えることを優先しなければ、だった。

これで少しはユキナの目が覚めるといいんだけど……。

夏子は、教科書で口もとをかくしながら、またひとつ、大きなあくびをした。

10

ニルとＨＯＯＰをするようになってから三日目の夜。

とうとうユキナからメールがあった。


【最近、ニルさんがちょっとしかＨＯＯＰでからんでくれなくなっちゃった】


久しぶりのメール。

その内容に、夏子はぼう然となった。

謹慎《きんしん》期間が終わっても学校を休みつづけていることに関することでもなく。ましてやそのことを心配して何度も電話したりメールしたりしていた夏子に関することでもなく。

書かれていたのは、ニルさんとのＨＯＯＰのことだけ……。

夏子は、腰《こし》をおろしていたベッドに、くずれるように倒《たお》れこんだ。

ニルとのＨＯＯＰは、おもしろい。

ニルはものしりだ。いろんなことを知っている。

新しい話題に切り替《か》わるたびにわくわくするあの感じは、同級生たちとのおしゃべりからは得られないものだな、とも思う。

それでも、負担は感じる。

今夜もまた、何時間かはニルとのＨＯＯＰが待っている、と思うと、ふとしたときに気が重くなっている自分を感じる。

実際、ニルとＨＯＯＰをやるようになって、ベッドに入ってからの読書はほとんどできていなかった。

勉強の時間も、これまでの半分くらいになってしまっている。

そこまでして夏子がニルとＨＯＯＰをしているのは、なんとかしてユキナがニルとHOOPをする時間を減らしたい一心だった。
それなのに……。

【学校、おいでよ】

夏子は、ただそれだけをユキナに返信した。
それ以外に、ユキナにかける言葉を見つけることができなかった。

日曜日の午後。
突然《とつぜん》、ニルからメールが送られてきた。
HOOPではなく、メールが送られてきたのは、それがはじめてのことだった。

【いま、時間ないかな。ぼく、駅前にいるんだけど】

夏子はそのとき、駅前近くの図書館にいた。

ニルに教えてもらった写真集を、借りにきたところだったのだ。

そのタイミングで送られてきたニルのメールに、夏子はなんだか説明のつかないそわそわした気持ちになった。

【都合、悪い？　だったら、ユキナちゃんを誘《さそ》ってみようかな】

スマホの画面に表示された、ユキナちゃん、というフレーズに、心臓が、どくん、とはねた。

自分が断れば、ユキナが呼び出されてしまう――。

【わたし、いま駅前の図書館にいます】

【じゃあ、ぼくが図書館までいくね】

流されるように、夏子はニルと会う約束をしてしまっていた。

ニルとは、駅前のカフェでお茶をして、そのあと、近くのテニスコートにつれていかれた。

テニスをしたわけではない。

誰《だれ》もいないテニスコートにぽつんと座っている夏子を写真に撮《と》りたい、といわれたのだ。

ニルは、夏子をモデルに写真を撮《と》るのにハマっているようだった。顔がわかる写真は、サイトには載《の》せない、と約束している。

だから、夏子もそう身構えることなく、ニルのカメラの前に立っていた。

なんといっても、ニルの撮《と》る写真は、ひどく魅力的《みりょくてき》なのだ。

見てみたい、という好奇心《こうきしん》につい負けて、ニルにいわれるままカメラの前に立ってしまう。

そうして撮《と》られた写真は、夏子がこれまで見たこともないような一枚になっていて、見るたび心が震《ふる》えるのだった。

ニルと駅前で別れた夏子は、自宅までバスは使わず歩いて帰ることにした。

バスなら七、八分、歩いても二十分ほどの距離《きょり》だ。

夕日があんまりきれいだったから、歩いて帰りたくなった。

駅前が遠くなるにつれ、人の姿が減っていく。
ふと気になってうしろをふり返ると、歩道にいるのは夏子ひとりになっていた。
わけもなく心細くなりながら、正面に向き直ろうとしたそのとき、
「ねえ」
ひどく近い距離《きょり》から、声が聞こえた。
いつのまに現れていたのか、夏子の真正面に、見覚えのない少年の姿があった。

警告のエリア

1

自分より少し上くらいの年齢《ねんれい》だろうか。

中学生には見えないけれど、大学生にも見えない。

長めの前髪《まえがみ》で、目もとに影《かげ》ができている。目鼻立ちは地味なのに、きれいな顔をしているような気がした。

とにかく、ひどく近い距離《きょり》に顔がある。

あんまりびっくりして、夏子は声も出せないでいた。

そんな夏子の様子にはおかまいなしに、初対面のその少年は、唐突《とうとつ》にいった。

「あいつのこと、好きになったの？」

「あいつ？」

あいつというのが誰《だれ》のことなのか、すぐにはわからなかった。

「あいつのどこがそんなにいいのかよくわかんないけど、あいつはやめときな。これ以上、深入りしないほうがいい」

まくしたてるようにいって、少年はジーンズのポケットからスマホを取り出した。

「とりあえず、オレの連絡先《れんらくさき》、入れとくから」

ほら、というように、手をさし出してくる。

「え？」

「早く。そっちのスマホ」

勝手にアドレスを交換《こうかん》するつもりでいるらしい。

「ちょっと待って、あの、どなたなんですか？」

やっと我に返った夏子は、あわてて一歩、うしろにさがった。

さがった分だけ、少年がまた前に出てくる。

「エリ」

「エリ？」

「オレの名前」

名前をきいたわけではなかった。

どこの誰《だれ》で、なにが目的で話しかけてきたのか。

そうたずねたつもりだった。

「とにかく、あんたはこれ以上、ニルには近づかないほうがいい。わかった？　オレ、ちゃんと警告したからな。自分でも馬鹿なことしてるって思うけど……まあ、それはいいや」

ニル。エリと名乗った少年の口から出たその名前に、夏子はようやく、『あいつのこと、好きになったの？』とたずねられたときの〈あいつ〉が、ニルだったのだと知った。

「好きになんてなってません！」

相当なタイムラグがあることも忘れて、夏子はきっぱりと否定した。

そんなふうに思われるのは、心外だった。

ユキナのためにしていることだ、なにもかも。

ＨＯＯＰだって、呼び出されて会いにいくことだって、みんな、ユキナのため。それを、ニルのことを好きになったからしているんだろうといわれては、腹が立つ。

「は？」

エリは、きょとんとした顔をしている。

しばらくしてから、ああ、とうなずいた。

「ニルのこと好きになったのかってきいたあれへの返事？　あいだがあきすぎてて、一瞬《いっしゅん》、なんのことだかわかんなかった」

夏子の顔をじろじろと観察しながら、ふうん、とエリはいった。

なんなのいったい、といいたい気持ちをぐっとこらえて、夏子はまた一歩、うしろにさがる。

どうにも顔が近いのが気になってしょうがなかった。

「ちょっと！　なんでいちいちさがるんだよ」

するとまた、エリが前に出てきてしまう。

「なんでって、顔が近いからに決まってるじゃない」

「……近い？　これが？」

「そう！」

「ふうん……これで、近いんだ」

本気で不思議がっているようだ。

なんだかつかみどころのない男の子だな、と思う。

「あ、そうだ。ほら、スマホ貸せって」

それが当然のことのように、エリはふたたび手をさし出してきた。

「どうしてあなたの連絡先《れんらくさき》を教えられなくちゃいけないんですか？」

「だってあんた、なにかあったとき、なんにもできないだろ」

「なにかって……なんのこと？」

あー、もうっ！　といきなりさけんだかと思うと、エリは、夏子が片方の肩《かた》にひっかけていたバックパックを強引に奪《うば》い取った。

ポケットの中に入れてあったスマホを勝手に取り出すと、手早くアドレス交《こう》換《かん》を終えてしまう。

「はい」

平気な顔でスマホとバックパックを同時にさし出してきたので、夏子はつい、文句もいわず素直に受け取ってしまった。

受け取ってしまってから、はっとなる。

そのときにはもう、エリは夏子に背中を向けていた。

「ちょっ……エリ、くん！」

エリは、ふり返らないままいった。

「なんかあったら、連絡《れんらく》して。ニルにはもう近づくなよ」

エリの背中が、角を曲がって見えなくなる。

さっぱりわけがわからなかった。

エリの姿が見えなくなってからも、夏子はしばらく、その場に立ちつくしたままでいた。

2

家に帰ってから、夏子はようやく冷静に、エリについて考えられるようになった。

エリはニルを知っている。

そして、ニルには深入りするな、といった。

つまり、エリはニルが危険な人物だと知っていて、それを忠告するために、夏子の前に現れた——。

そうとしか、考えようがなかった。

「ニルさんって……危ない人なの？」

浴室に、夏子のひとりごとが反響《はんきょう》する。

ユキナを急激に変えてしまったのは、確かにニルだ。

だけど、ニルがしたことといえば、ユキナからきたメッセージに返事をして、会って、ＨＯＯＰをやりはじめただけ。

それだけで、ニルが特別ひどいことをした、ということにはならない。たまたまユキナが、ニルとのＨＯＯＰにハマってしまって、それをきっかけにスマホへの依存《いぞん》を急速に深めてしまっただけだ。

それとも、夏子がまだ知らないだけで、ニルとユキナのあいだに、なにかあったのだろうか。

「夏子ぉ？　いつまでお風呂《ふろ》入ってるの？」

脱衣所《だついじょ》の向こうから聞こえた母親の声に、夏子はあわてて、お風呂《ふろ》のへりに手をかけた。

ざばーっと豪快《ごうかい》な音を立てながら、勢いよく湯船から立ちあがる。

「いま出るところーっ」

気がつかないうちに、ずいぶんと長湯をしていたらしい。立ちあがったとき、軽い立ちくらみを起こしてしまった。

パジャマ姿で自室にもどると、夏子はすぐに、スマホを手に取った。

メールが二通、届いている。

一通は、中学時代の友だちから。

雑誌で夏子によく似たモデルを見つけたんだけど、あれって夏子じゃないよね？　という他愛もない内容。

もう一通は、ユキナからだった。

件名はなく、本文にはたった一行、

【学校なんてもういきたくない】


それだけが、つづられていた。

息が止まる、というのは、こういうことをいうんだろうか、と夏子は思う。

大きく深呼吸をした。

震《ふる》える指で、返信を打つ。


【どうしてそんなこというの？】

すぐに返事があった。

【ニルさんとHOOPしてるほうが楽しいから】

【ニルさん、あんまりHOOPしてくれなくなったんじゃないの?】

【最近は、十二時過ぎないとからんでくれなくなっちゃったけど……それでも、朝まではつきあってくれる】

思わず、あっ、と声をあげそうになった。

きのうのメールで、ユキナはなんといっていた?

——最近、ニルさんがちょっとしかHOOPでからんでくれなくなっちゃった。

ちょっとしか。

まったくからんでくれなくなった、とはいっていない。

ニルは約束したとおり、夏子とHOOPをする時間の分だけは、ユキナとのHOOPの時間は減らしたけれど、まったくなくしていたわけではなかったのだ。

夏子はたいてい、夜の十二時をメドに、ニルとのＨＯＯＰを終わらせていた。まさかそのあと、さらにＨＯＯＰで誰《だれ》かと長いやり取りをする気にはならないだろう、と思っていたからだ。

だけど、それは夏子の感覚だった。

ＨＯＯＰ慣れしている人たちにとっては、何時間だってつづけられるものなのかもしれない。

現に、ニルは夏子と三時間近くＨＯＯＰをしたあと、さらにユキナと、朝方までＨＯＯＰをつづけていたのだから。

自分がしてきたことはなんだったんだろう……。

ユキナはちっとも、ニルとするＨＯＯＰへの思いを変えていない。それどころか、短くなってしまった時間を嘆《なげ》いてさえいる。

学校なんていきたくない、と思うほどに、ますますニルとのＨＯＯＰにハマりこんでしまっている。

わたしはいったい、どうすればよかったの？

これから、どうすればいいの？

夏子は、ユキナへの返信を打つことも忘れて、ただぼんやりとスマホの画面を見つめつづけた。

3

重い体を引きずるようにして、夏子は学校へ向かった。

相変わらず、待ち合わせの場所にユキナの姿はない。

ユキナのお母さんもすっかり困り果てていて、単身赴任中《ふにんちゅう》のお父さんに報告するかどうか、かなり迷っているそうだ。

ユキナのお父さんはとても厳しい。

もしユキナが学校にいっていないことを知られてしまったら、たいへんな騒《さわ》ぎになるのはまちがいない。

できることなら、おおごとになる前にユキナを学校につれもどしたい。

夏子はまだ、あきらめてはいなかった。

――ニルさんと、ちゃんと話してみよう。

きのう一晩考えて、出した結論だ。

ニルのことを知っているらしいあのエリという男の子には、もう近づかないほうがいい、といわれている。

だけど、ユキナをもとのユキナにもどすには、結局、ニルの協力が不可欠なのだ。


放課後。

夏子はニルにHOOPで呼びかけた。

これから植物公園前駅で会えませんか、と。

ニルからはすぐに、いいよ、と返事があって、夏子は学校を出ると、そのまま植物公園前駅に向かった。

平日は人の乗り降りがあまり多くない駅なので、駅前の広場もがらんとしている。

夏子は、ベンチに座ってニルを待った。

手の中のスマホを、ぼんやりと見つめる。夏子が知っているニルは、このスマホの中にしかいない。

たとえニルがうそをついていたとしても、スマホでやり取りをしているときには、それが真実になる。

夏子が知っているニルは、美大生で、写真の勉強をしていて、おっとりとしたしゃべり方をする、黒ぶちメガネの文系男子だ。

でも、それって本当のニルなんだろうか。

ニルが、そう見せたい、と思っていて、意図的に見せられていた〈ニル像〉なんじゃないだろうか……。

「夏子ちゃん」

ニルの声が耳もとで聞こえて、夏子は、どきっとなった。

あわてて顔を横に向けると、コンビニの袋《ふくろ》を手にさげたニルが、ベンチに腰《こし》をおろしてくる途中《とちゅう》だった。

「アイス、どっちがいい？」

コンビニの袋《ふくろ》を大きく開いて、中身を見せてくる。外で食べるにはちょっと季節はずれのアイスが、ふたつ入っていた。

「ありがとうございます。じゃあ、こっちを」

夏子は、抹茶味《まっちゃあじ》のカップアイスを選んだ。

「きのうは早く寝《ね》ちゃったみたいだね」

あずきのアイスバーの袋《ふくろ》をばりっと開けながら、ニルがちらりと夏子を見やる。

「すみません、きのうはちょっと……」

きのうの夜、夏子はニルとＨＯＯＰをしなかった。

ユキナからのメールのことで頭がいっぱいで、そんな気分にはなれなかったのだ。

ニルは、いいよいいよ、というように小さく頭をふった。

「その分、きのうはユキナちゃんとＨＯＯＰする時間が増えちゃったけど」

夏子は思わず、ぎょっとなった。

すぐ横にいるニルの横顔を、じっと見つめる。

「……わたしがＨＯＯＰをやらなくなったら、ニルさんはまた、ユキナとＨＯＯＰをする時間をもとにもどすんですか？」

「だって、そういう約束だったでしょ」

「それは、そうですけど……」

なんだかこの人、こわい人だ……。

夏子は、はじめてニルに警戒心《けいかいしん》ではなく、恐怖心《きょうふしん》を抱《いだ》いた。

確かに、約束はした。

自分がＨＯＯＰをする分だけ、ユキナとのＨＯＯＰの時間を減らしてもらう。

そういう約束を。

ニルは、約束をちゃんと守ってくれた。

だけど、どうして夏子がそんなことをお願いしたのか、ということについては、なにも考えてくれていないのだ。

たのまれたことを、ただ受け入れただけ。

どうしてそんなことをたのむんだろう、とほんの少しでも考えてはくれないのだろうか。

そこにはなにか事情があるんじゃないかと、ほんの少しでも考えてくれていたなら、ユキナとのＨＯＯＰの時間をあっさりもとにもどしたりはしないんじゃないだろうか。

夏子の手の中で、アイスがどんどん溶《と》けていく。

ニルさんって、いったい……。

4

夏子は、震《ふる》える手で抹茶味《まっちゃあじ》のアイスの中に木のスプーンをさし入れた。

溶《と》けかけのアイスをひとくち、口の中に入れる。

味が、よくわからなかった。

「ニルさん……」

「うん？」

「わたしは……ユキナのことが心配なんです」

「ユキナちゃんのことが？」

「はい。ユキナはいま、学校にきていません。ニルさんとのＨＯＯＰに夢中で、学校なんかいきたくないって思ってるんです」

「ふうん……」

「わたしは、ニルさんとＨＯＯＰをやる時間が減れば、ユキナもちょっとは目を覚ますんじゃないかと思ってました。だから、ニルさんにお願いしたんです。

ユキナとのＨＯＯＰの時間を減らしてくださいって」

ニルは、アイスをかじりながら、だまって聞いている。

「でも、そんなんじゃもう、ユキナは目が覚めないってわかりました。きっぱりと、ニルさんとのＨＯＯＰをやめなくちゃだめなんです、きっと」

夏子が意を決してそこまでいったところで、ニルが、ふっ、と息を抜《ぬ》くようにして笑った。

笑いながら、ニルが夏子の顔をじっと見つめてくる。

ああ、この顔……。

はじめて会ったときに感じた、なにかを見間違《みまちが》えたようなあの不思議な感覚。

いま、わかった。

この人は、笑っているのに笑っていない。笑っている顔を作っているだけなんだ。

だから、なにかを見間違《みまちが》えたような気持ちになった……。

夏子は知らないうちに、ぶるっと身震《みぶる》いをしていた。

ニルは、夏子の顔をじっと見つめたまま、にこにこと笑っている。

「ぼくはそうは思わないなあ。いまさらぼくとのＨＯＯＰを取りあげちゃったら、ユキナちゃん、ますますどうかなっちゃうんじゃないのかなって思うけど」

そして、おっとりとしたやさしげな話し方のまま、そんなことをいった。

夏子は、全身がかたくこわばるのを感じた。

まるで言葉が通じない相手と話しているような、そんな気がしてくる。

「それで、夏子ちゃんはぼくとのHOOPはどうするの？　もうやめる？」

――やめるんだったら、ユキナちゃんとのHOOPの時間はもとにもどすけど、それでもいいの？

ニルは、暗にそういっている。

「わたしは……」

答えられなかった。

ユキナのために、このままニルとHOOPをつづけるのか、それとも――。

夏子は、ふと不思議になった。

この人はどうしてそこまでユキナにこだわるんだろう、と。

ニルがユキナに恋心《こいごころ》を持っているようには思えないし、ましてや下心のようなものがあるようにも見えない。

いったいなにが目的で、毎日のように長時間のＨＯＯＰをユキナとくり返していたのか。

「ニルさんは、どうして……」

夏子がそこまでいいかけたところで、ニルがすっと立ちあがった。

「ごめん。そろそろいかなきゃ」

ニルは、夏子の手の中から食べかけのアイスのカップをさっと取りあげると、中身を植えこみの土の上に捨ててから、持っていたコンビニの袋《ふくろ》の中に器だけを入れた。

自分が食べ終えたアイスバーの棒も、その辺にぽいっと捨てたりはせず、同じコンビニの袋《ふくろ》の中に、ちゃんと入れていた。

そういうことはできるのに……。

夏子は、ニルという人間のことが、ますますわからなくなった。

「一応、今夜またＨＯＯＰで声かけてみるよ。よかったら、返事して」

夏子の返事を待つことなく、ニルはすたすたと歩き出してしまった。

誰《だれ》もいない駅前の広場に、ぽつんとひとり残された夏子は、途方《とほう》に暮れた気持ちのまま、しばらく立ちあがることもできずにいた。

十分ほどそうしていただろうか。

バッグの中のスマホが震《ふる》えた。

取り出してみると、メールではなく、電話がかかってきていた。

液晶《えきしょう》画面に表示されていたのは――。

5

「も、もしもし？　エリくん？」

電話をかけてきたのは、エリだった。

「うん、オレ。あんた、オレの忠告を無視して、またニルに接触《せっしょく》しただろ？」

「え？　あ、うん、ついさっきまで会ってた、けど、どうしてそれを……」

夏子の言葉をさえぎって、エリは、「ばか！」とどなった。

「なんで気軽に会ったりするんだよ。あいつ、ホントにやばいやつなのに！」

どうしてエリが、ニルと会ってたことを知っているのだろう。

不思議だった。

エリに問いただしたいことは、たくさんある。

だけど、いまは。

いま、いちばん知りたいことは――。

「……ねえ、エリくん」

「なんだよ？」

「ニルさんのこと、くわしく教えて。エリくんの知ってること、全部」

エリが、だまってしまった。

「エリくん？」

「……わかった。話せることは、話す。きょうの夜、あんたんちの近くまでいくから。そんときに」

「え？　うちの近く？　ちょっと待って、それって……」

夏子がまだ話しているというのに、エリは一方的に、通話を終えてしまった。

夜の十時を過ぎた住宅街は、ひっそりと静まり返っている。

夏子は、コンビニにいってくる、という苦しいうそをついて、なんとか外に出てきた。

こんなことをしたのは、生まれてはじめてだ。親にうそをついて、ひとりで夜、外を出歩くなんて。

だからだよね、と夏子は自分で自分に確認する。

だから、心臓がばくばくしてるだけだよね、と。

住宅街の路地を少し進んだところで、「あ」と夏子は気づく。いた。エリだ。呼び出した当の本人は涼《すず》しい顔をして、ガードレールにちょこんと腰《こし》かけていた。

「よう」

「もう、なんでわざわざ外で話さなくちゃいけないの？　電話でいいじゃない」

「念のため。電話なら、ニルでも手出しできないとは思うけど、万が一、聞かれるとやっかいだから」

「……どういうこと？　それって盗聴《とうちょう》とか、そういうこと？」

「メールやHOOPの類いは、まず間違《まちが》いなくニルなら解読できる。だから、オレはあんたにメールだのHOOPだのでは連絡《れんらく》してないだろ？」

「ちょっ、ちょっと待って！　ニルさんって、人のメールやHOOPを盗《ぬす》み見できるの？」

「できる。あんたたちが使ってる程度のものなら。オレも、できるけど。だから、あんたがニルときょう、植物公園前駅で会ったこと、知ってただろ？」

確かに夏子はきょう、ニルにＨＯＯＰで呼びかけてから、植物公園前駅で会う約束をした。

それを、エリが盗《ぬす》み見していたということ？

「そんなことって……」

「オレやニルならできる。電話はむずかしいけど、ネット上にデータとしてのっかってる情報なら、まあ、問題なくいける」

ふたりは、ハッカーかなにか、ということなのだろうか。

夏子がそうたずねると、エリは、うーん、まあ、そんなとこ、とあいまいな返事をした。

「ねえ、ちょっと！　ニルさんのこと、くわしく教えてくれるんじゃなかったの？　ごまかさないで、ちゃんと教えてよ」

ガードレールに腰《こし》かけているエリの目線は、立っている夏子よりもずっと低い。仁王立ちしながらつめ寄った夏子に、エリはひとこと、「こわ……」といった。

まるきり小学校時代の同級生と話している気分になる。

男子たちにはよく、こわい、とおそれられていた夏子だ。

「話せることは、話してくれるっていったじゃない」

「だから、話せることがすげー少ないんだよ」

「どうして？」

「あんまり知りすぎると、あんたによくない影響《えいきょう》があるかもしれないから」

「……どういうこと？」

「とにかく、ニルはやばいやつなの！　で、あんたの友だちのユキナって子を、狙《ねら》ってる。家も学校も友だちも、なにもかもどうでもいいって思うところまで追いこむつもりなんだ、ニルは」

あまりに衝撃的《しょうげきてき》なエリの説明に、夏子は思わず、手のひらで口もとをおおった。

「そんな……どうしてそんなこと……」

「自分の意志で、自分がいまいる場所を捨てさせるためだよ」

どうしてニルがユキナにそんなことをさせようとしているのか、さっぱり意味がわからない。

混乱した頭のまま、さらにエリにくわしい説明を求めようとしたちょうどそのとき、

「……あ」

手ににぎったままだったスマホが、ぶるりと震《ふる》えた。

あわてて液晶《えきしょう》画面に目をやる。

ニルからのＨＯＯＰへのメッセージだった。

6

ニルとのＨＯＯＰは、エリから連絡《れんらく》をもらって外に出てくる直前までやっていた。

自分が応じないことで、ニルがユキナとのＨＯＯＰの時間をもとにもどしてしまうのがこわかったのだ。

たとえそれが、乾《かわ》いた砂に水をそそぎつづけるようなむなしい行為《こうい》だとわ

かっていても、やめてしまうことがこわかった。

「ニル？」

エリが、腰《こし》かけていたガードレールを離《はな》れて、夏子のすぐ目の前まで歩み寄ってきた。

あいかわらず距離《きょり》が近い。

いまにも、おでことおでこがぶつかりそうな近さで、夏子のスマホをのぞきこんでくる。

おさまっていた心臓のばくばくが、もどってきてしまった。

「えーと、『きょうはいつもより早く夏子ちゃんとのＨＯＯＰが終わったから、いまからユキナちゃんに呼びかけちゃってもいいよね』……か」

エリが読みあげたとおりのことが、夏子のスマホの画面にはつづられていた。

確かにきょうは、エリと会う約束があったから、いつもより早めにＨＯＯＰを終わらせた。

だからって、わざわざこんなことを知らせてくるなんて……。

エリが、ぼそりという。

「あいつ、ユキナだけじゃなく、あんたのことも揺《ゆ》さぶりはじめたのか……」

「え?」

スマホの画面から目をあげた夏子を、ごく近い距離から、エリがじっと見つめている。

「気をつけたほうがいい。自分はだいじょうぶだと思ってても、気がついたときにはあいつの手のうちってパターンを、いくつも見てきてる」

エリの思わせぶりな話はもう、たくさんだった。

夏子は、小学校時代に同級生だった男子たちへの態度そのままに、エリにつめ寄った。

「エリくん！　いいかげんにちゃんと話して！　よくない影響《えいきょう》？　そんなのどうだっていい！　わたしは、本当のことをちゃんと知りたいの！」

はじめてエリのほうが、あとずさっていった。

夏子は迷うことなく、一歩前に出て、開きかけた距離《きょり》をもとにもどした。

絶対に、本当のことを話してもらう。その意思表示だった。

長い前髪《まえがみ》の下で、エリの目がまたたきをくり返している。

「……話せることは話すっていっちゃったもんな」

そういうと、エリはふたたびガードレールに腰《こし》をおろして、どこから話そうか、というように、月のない空をちらりと見上げた。

「わかりやすくいうと、ニルはバイヤーなんだ。人間専門の」

「人間専門の……バイヤー？」

「取引相手の要望に合った人間を見つけ出してきて、引き渡《わた》す。その見返りに、報酬《ほうしゅう》を得る。それがニルの仕事だ」

「それじゃ、ユキナは……」

「このままだと、ニルの手で売り飛ばされることになる」

「うっ、売り……」

予想もしていなかったことをいわれて、夏子はひどく動揺《どうよう》してしまった。衝撃《しょうげき》のあまり、ひざが勝手に震《ふる》え出す。

「まさか、あのニルさんが……」

エリが、ふ、と短く笑った。

「あいつの正体を知ると、あんたと同じことというやつって多いんだけど、あいつのなにを知ってたんだよって、いつも思うんだよなあ」

エリのいうとおりだった。

まさか、あのニルさんが……と思えるほど、夏子はニルのことを知っていたわけではない。

それでも、ショックだった。

ニルが人間を売り買いするような人だったということも。

そのためにユキナに近づいていたのだということも。

7

ニルの手口はこうだ。

写真のサイトはやっぱり罠《わな》で、ニルの写真に興味を持ってコンタクトを取ってきた相手を、まずは徹底的《てっていてき》に調べる。

メールやHOOPの履歴《りれき》などを調べあげて、商品になりそうだと判断すれば、接触《せっしょく》を図る。

そのときには、相手のウィークポイントは完全に把握《はあく》していて、なにをいえばよろこんで、なにをいえば動揺《どうよう》するか、すべて計算してコミュニケーションを取るのだそうだ。

そうして、少しずつ自分との関係に依存《いぞん》させていき、最終的には自らの意志で家出をさせて、自分のもとへやってくるように仕向ける。

強引に拉致《らち》するようなことは、決してしない。

自らの意志ですべてを捨てさせることが、重要なのだという。

「それは、警察に届けられたりするのを避《さ》けるため？」

「それもある……といえばある」

とにかく、といって、エリは夏子のことを指さした。

「あんただって、いつニルのターゲットになるかわかんないってこと。いまはユキナが狙《ねら》いでもな」

確かに、ニルとのＨＯＯＰを、夏子は退屈《たいくつ》だとは思っていなかった。もしかすると、楽しんでいた部分のほうが大きかったかもしれない。

このままなにも知らずにニルとのＨＯＯＰをつづけていたら、いつかはユキナのように、度を超《こ》した状態になるまでハマりこんでしまっていたのかも……。

そう考えたら、心の底からおそろしくなった。

いまのいままで、自分自身も危険に身をさらしていたことに気がついていなかったのだから。

エリが教えてくれたからこそ、気づくことができた。

夏子は、不意になにかを思い出したように、エリの顔をじっと見つめた。

「……なんだよ」

視線に耐《た》えかねたように、エリが指先で首すじをかく。

「……エリくんは？」

「は？」

「エリくんは、どうしてニルさんがそういう仕事をしてる悪い人だって知ってるの？　エリくんはいったい、なにをしてる人なの？」

思い浮《う》かんだ疑問を片っぱしから口にしてしまった。

エリは困ったような顔をして、首すじをかきつづけている。

「別に……いいじゃん。オレのことは」

「よくないよ。エリくんのことがよくわからないままだと、もしかしたらエリくんもニルさんと同じようなことしてる人で、だから、ニルさんのことくわしいのかもって考えることだってできちゃうでしょ？」

エリはますます困った顔になって、最後にはとうとう、かくんと首を折ってしまった。

深くうつむいているエリのうなじが、街灯の光に照らされて、白く光っている。男の子のうなじって、こんなにつやつやしてるものなの？　とちょっとびっくりしながら、Tシャツの丸首から伸《の》びたエリの首をじっと見つめて返事を待つ。

「……オレは、あんたの味方だ。なにがあっても、オレは絶対にあんたを裏切らない。それだけじゃ、だめ？」

顔をうつむかせたまま、いきなりそんなことをいい出したエリに、夏子は思わず息をのんだ。

返事がないことをいぶかしんだのか、そろりとエリが顔をあげる。

目が合った。

だめか？　と目でも訴《うった》えられた夏子は、小さく深呼吸をした。

「……わかった。信じるよ、エリくんのこと」

あんな目で、だめ押《お》しされたら誰《だれ》だって……と思いながら、夏子は軽くエリをにらみつけた。

ほっとしたように、エリは口もとをゆるめている。

笑うと、とたんに幼くなる。

この人は、わたしの味方……。

そう思ったら、少しだけ気持ちが軽くなった。

ニルからのＨＯＯＰへのメッセージに返事をしていなかったことに気がついたのは、エリと別れて、家にもどってからだった。

あわててニルへメッセージを送る。

しばらく待っても、返事がない。既読《きどく》になってからも、返事はなかった。

夏子は思いきって、ユキナにメールを送ってみることにした。

【ユキナ、いまなにしてる？】

返事はなかった。

8

ユキナとはいつも、バス停近くのコンビニの前で待ち合わせをしてから学校に向かっていた。

もう長いあいだ、ユキナの姿は目にしていない。

だから、最初、いつものコンビニの前にユキナを見つけたとき、夏子は一瞬《いっしゅん》、自分の目を疑った。

なにかの見間違《みまちが》いだろう、と。

「なっちゃん……」

そう呼びかけられて、ようやく夏子は、それが間違《まちが》いなくユキナだと気づき、あわてて駆《か》け寄っていった。

「ユキナ！　よかった、学校いく気になったんだね」

ユキナはなにも答えず、いきなり夏子の体を、両手で力いっぱい突《つ》き飛ばそうとした。

とっさに夏子があとずさったからよかったようなものの、まともに受けていたら、しりもちをついていたかもしれない。

「ユ……ユキナ?」

よく見てみれば、ユキナは制服を着ていなかった。部屋着のような、スウェット素材のワンピース姿だった。

「ひどいよ、なっちゃん……」

うめくような声が、聞こえてくる。

ユキナは、目にいっぱい涙《なみだ》をためて、にらみつけるように夏子を見ていた。

「ユキナがいくら誘《さそ》っても、登録してくれなかったのに……」

足の先から、全身の血が抜《ぬ》け出ていくようだった。

ユキナは知ってしまったのだ。夏子がHOOPをはじめたことを。

「それだけじゃないよね、ユキナにはHOOPをはじめたこと、ないしょにしてた……」

小刻みに肩《かた》を震《ふる》わせながら、ユキナは夏子を責めつづけた。

「ひどいよ、なっちゃん……ひどすぎるよ……」

「ちがうの、ユキナ! わたしがHOOPをはじめたのは――」

「知ってる。ニルさんに誘《さそ》われたからでしょ」

ああ、やっぱり、と思った。あの人が、ユキナに教えたんだ、と。

「ニルさんが……教えたんだね」

夏子がそうつぶやくと、ユキナはぶんぶんと首を横にふった。

「ちがう！　ユキナが気づいたんだよ。ニルさんのサイトでなっちゃんの写真見つけて、それで……」

「わたしの写真？　ニルさん、わたしだってわかる写真、サイトに載《の》せてるの？」

夏子だとわかる写真は、載《の》せない約束をしたはずだ。

ユキナは、これにも首を横にふった。さっきよりもずっと激しく。

「ほかの人が見たってわかんないよ！　あんなに小さく写ってる写真。ユキナだからわかったんだよ。あ、これ、なっちゃんだって」

ユキナの目の表面にたまっていた涙《なみだ》が、とうとうほおの上に流れ出した。

「だから、ニルさんにきいたの。なっちゃんのこと知ってるんですかって」

ユキナは、泣きじゃくりながらも、訴《うった》えつづけた。

「そしたらニルさん、なっちゃんとＨＯＯＰしてること教えてくれて……ずっと不思議だったって、ニルさんいってた。どうしていちばん仲のいいユキナちゃんに、HOOPはじめたこと教えないんだろうって。だから、口止めされてたけど、教えてくれたんだよ、ニルさんは！」

夏子は言葉を失った。

なんて人なんだろう、ニルさんっていう人は……。

全部、ユキナのほうから知るように仕向けて、いちばん残酷《ざんこく》な形で、夏子がHOOPをはじめていることをユキナに教えた。

それがどれだけ、ユキナにとって傷つくことか、わかっていてやったのだ。

ユキナを自分の思いどおりに動かすために。

「お願い、ユキナ。わたしの話を聞いて」

ユキナは、いやいやをする子どものように、首を横にふりつづけている。

夏子のいうことなんか聞きたくない、と全身で拒絶《きょぜつ》している。

コンビニの前を、好奇心《こうきしん》丸出しの顔をした人たちが、夏子とユキナを横目で見ながら通りすぎていく。

「ニルさんはね、あのニルっていう人はね――」

夏子がそこまでいいかけたところで、とうとうユキナは、こらえ切れなくなったように、夏子に背中を向けて走り出してしまった。

「ユキちゃん！」

ちょうどそこに、ユキナのお母さんが走って現れた。

「おばさん！　ユキナが……」

足は止めないまま、ユキナのお母さんは、うんうん、とうなずいてみせた。

「なっちゃんは学校にいって！　あの子のことはだいじょうぶだから！」

ユキナのお母さんは、娘《むすめ》を追いかけて夏子の前をそのまま走りすぎていった。

ユキナのお母さんには、学校にいくようにいわれてしまったけれど、とてもそんな気にはなれない。

夏子はすぐに、追いかけようとした。

そんな夏子を、呼び止める声があった。

「夏子！」

少しかすれているような、低い声。

エリの声だった。

9

駆《か》け寄ってきたエリに、腕《うで》をつかまれた。

「いまはなにをいっても無駄《むだ》だ。ユキナはもう完全に、ニルの信者になってる」

「信者?」

「ニルのいうことならなんでも信じるし、ニル以外の誰《だれ》かのいうことはなにも信じない状態ってこと」

「でも、このままじゃ……」

「夏子がなにかいえばいうほど、ユキナはかたくなになるだけだ。いまは、母親に任せておいたほうがいい」

エリは、強引に夏子の腕《うで》を引いて歩き出してしまった。

「ちょっ……どこにいくの?」

「どこって、学校に決まってるだろ」

「学校って、まさかいっしょにいくつもり？」

「まだ、話したいことがある。あんたを学校に送りがてら、話す」


いつもの通学バスの中。

制服姿の夏子のとなりで、私服姿のエリは目立つ。

黒っぽい七分袖《しちぶそで》のカットソーに、色の濃《こ》いジーンズという地味なかっこうをしているのに、まわりの女の子たちや女の人たちからちらちらと視線を向けられているのは、エリの見栄えがそこそこいいということもあるのだろうけど——。

「ねえ、エリくん、学校は？」

そう。制服を着ていないから目立つのだ。見るからに高校生くらいに見えるエリが、通学時間帯であるこの時間に、私服姿で電車に乗っているから目立つ。

しかも、いっしょにいるのは制服姿の夏子だ。

つり革につかまっているエリは、車窓の向こうを見つめたまま答えた。

「学校は、いってない」

「やめちゃったの？」

「やめたというか、もともといってないというか……まあ、オレのことはいいから」

また、はぐらかされてしまった。

エリは、自分のことを話すのが本当にいやみたいだ。

夏子は、ちょっとさみしくなった。少しくらい、話してくれたっていいのに、と。

「で、これからどうするか、だけど」

つり革につかまった左腕《ひだりうで》の向こうから、エリがちらっと夏子のほうを見る。

「夏子は、ユキナに手紙を書くのがいいと思う。いまは、直接会って話すのも、電話もメールも、拒絶《きょぜつ》されるだけだろうから」

「手紙……」

「手紙なら、ユキナが読もうと思えたときに、読める。いますぐは読んでもらえないかもしれないけど、なるべく早く渡《わた》しておいたほうがいい」

「わかった。いままでのこと全部、正直に手紙に書くよ」

ならんでつり革につかまっているエリの顔を、横目でちらりと見る。

不思議な男の子だと、あらためて思う。

どこに住んでいて、誰《だれ》と暮らしていて、ふだんはなにをしているのか。

なんにもわからない。

それなのに、この人は味方なんだ、と信じられる。

自分でも、どうかしてるかな、と思うくらい、夏子の中にエリへの疑心はなかった。

いまはただ純粋《じゅんすい》に、エリのことを知りたい、と思っているだけだ。


エリとは、バスを降りたところで別れた。

これからまた、ニルの動向を観察するのだという。

ニルが送るメールや、HOOPをはじめとするSNSでのやり取りから、今後のニルの動きを把握《はあく》しておく——。

まるでスパイなみの能力が必要になりそうなそれらのことを、エリは、たいしたことではないように思っているようだった。

じゃあ、と足早に立ち去っていったエリのうしろ姿を思い出す。

小さくはないけれど、薄《うす》っぺらい肩《かた》。ひじの骨が出っ張った細い腕《うで》。きゃしゃな腰《こし》。

まだまだ幼さを感じさせる体つきに、わけもなく泣きたいような気持ちになった。

どうして学校にいっていないの？

学校もいかずに、ニルの動きを見張っている理由はなに？

授業中も、エリとニルのことが頭を離《はな》れなかった。

いったい、あのふたりの関係って……。

10

『ユキナに手紙を書くのは久しぶりだね。

ユキナを混乱させるようなことしちゃって、本当にごめん。

ユキナがいうとおり、わたしはニルさんに誘《さそ》われて、ＨＯＯＰに登録をしたよ。

まわりには知られないように、ニルさんとだけＨＯＯＰでのやり取りをしていたのも、本当。

でも、それはニルさんとある約束をしたからなんだ。

ユキナとのHOOPの時間を減らしてほしい。

わたしはニルさんに、そうたのんだの。

最初にニルさんのサイトにメールを送ったのも、ユキナとの長すぎるHOOPの時間のことを、どう思ってるのか確かめたかったからなんだけど……。

ユキナの知らないところで勝手にそんなことして、あとでユキナがそれを知ったらどう思うだろうって、なんで考えられなかったのかな。

いまになって、そう思うよ。本当に、ごめん。

ただ、これだけはわかって。

わたしは本当にユキナが心配で、どうにかしてユキナに、ニルさんとのHOOPに依存《いぞん》しちゃってるいまの状況《じょうきょう》を、考え直してもらいたかっただけなんだよ。

HOOPだって、ユキナがニルさんとのHOOPをふつうのペースでできるようになったら、やめるつもりでいた。

だから、誰《だれ》にも教えなかったんだよ。ユキナにも、同じクラスの仲いい子たちにも。

ユキナにだけ教えなかったんじゃない。みんなに、教えなかった。

ねえ、ユキナ。

わたしはいまも、前みたいにユキナといっしょに学校にいきたいし、帰りにどっか寄っておしゃべりしたりしたいと思ってる。

気が向いたら、メールでも電話でもいいから、連絡《れんらく》ください。

待ってるからね』

手紙はきちんと切手を貼《は》って、郵便ポストに投函《とうかん》した。

なんとなくそのほうが、ちゃんとした手紙になるような気がしたからだ。

「さて、と」

手紙を投函《とうかん》したその足で、夏子は駅前の図書館に向かった。

図書館の前で、ニルと待ち合わせをしているのだ。

土曜日の午後なので、人が多い。

ひっきりなしに、来館した人たちが夏子の横を通りすぎていく。

「ごめん、夏子ちゃん。ちょっと遅《おく》れちゃった」

約束の時間より、五分ほど遅《おく》れてニルは現れた。

白いTシャツの上に、スウェット素材の黒いカーディガンを羽織っている。ジーンズも黒だけど、少し色が薄目《うすめ》で、足もとにはスタッズつきのスニーカーだ。

いかにも美大生らしいファッションのニルに、人を売り買いして生計を立てている人間だと思わせるような要素はいっさいない。

夏子は、ぺこりと頭をさげてから、先に立って歩き出した。

ニルには、つきあってほしい場所がある、と伝えてあった。

「なんだか雨が降りそうな天気だねぇ」

すぐとなりを歩きながら、おっとりとニルが空を見上げている。

「ニルさん」

「うん？」

「ユキナに、話しちゃったんですね。わたしがＨＯＯＰをはじめたこと」

ニルは、あー、と低い声を出した。

「ユキナちゃん、しゃべっちゃったんだ、夏子ちゃんに。ないしょだよっていったのに」

自分のことは棚《たな》にあげて、ニルはそんなことをいった。

「ニルさんこそ、どうして話しちゃったんですか、ユキナに」

「ユキナちゃんに、きかれたから。なっちゃんとはどういう関係なんですかって。そんなふうにきかれたら、誤解されないように正直に話すしかないでしょ？」

もっともらしいことをいって、ニルはにっこりと笑った。

本当は、笑っていない。

夏子には、もうわかる。

笑った顔を作っただけだ、と。

追《つい》撃《げき》のエリア

1

夏子は、ある建物の前で足を止めた。

そこは、警察署の前だった。

「……夏子ちゃんがぼくにつきあってほしかった場所って、ここ？」

「はい」

「どうして、ここなの？」

「お願いがあります。二度とユキナに近づかないって約束してください」

「今度は、接近禁止命令？」

ニルは、小首をかしげながら笑っている。

「約束してくれないなら、わたしはいまから、ニルさんに脅《おど》されてＨＯＯＰをやるよう強要されたって警察にいいにいきます」

ニルは成人で、夏子は未成年だ。

成人であるニルが、未成年の夏子にＨＯＯＰのＩＤを作らせて、そして、毎日のように何時間もＨＯＯＰの相手をさせていた、という事実。

それらの行為《こうい》は、法には触《ふ》れないものの、厳重注意を受ける程度には問題視される行動なはずだ。

エリのいうとおり、ニルが人の売り買いをしているのなら、警察沙汰《けいさつざた》は避《さ》けたいはず——。

そう考えて、夏子はこの《脅迫《きょうはく》》を思いついたのだった。

「ねえ、夏子ちゃん」

「はい」

「夏子ちゃんは、どうしてそんなにユキナちゃんからぼくを引き離《はな》したいの？」

夏子は、すう、と深呼吸をした。

「ニルさんが、悪い人だからです」

黒ぶちメガネの向こうのニルの目が、さらに笑う。

細めた目で夏子を見つめながら、にこにこと笑っている。

「ぼくが、悪い人？　どうしてそんなふうに思うのかな」

「ユキナを、自分の思いどおりにしようとしてるじゃないですか。それだけで、もうじゅうぶん、悪い人です」

「ネットで知り合った女の子を自分の思いどおりにしたがる男なんて、いくらでもいるでしょ。だから、大人はみんな、未成年の女の子たちに、気をつけなさいって注意するんじゃない」

そこまでいって、ニルはメガネの真ん中を人さし指でひょいと押《お》しあげた。

「……まあ、ぼくはユキナちゃんを思いどおりにしようなんてしてないけどね。ただ、HOOPでちょっと長めのおしゃべりを楽しんでるだけで」

うそばっかり！　本当は、ユキナを売り飛ばすつもりでいるくせに。

そんな思いをこめて、ニルをにらみつける。

夏子がしたことは、それだけだ。それなのに――。

「さては夏子ちゃん、あの子に会ったね？」

あの子。

エリのことだ、とすぐにピンときた。

ニルさんも、エリくんのことを知ってるんだ……。

少し、胸がざわっとなる。

それでも夏子は、エリのことをニルにいう気はなかった。いえば、エリに迷《めい》惑《わく》がかかるかもしれない、と思ったからだ。

それなのにニルは、へえ、という顔をしながら、夏子のほうに近づいてきた。

「あの子、もうぼくの居場所、かぎつけたんだ。ずいぶんとまた、今回は早かったなあ」

ぎくっとなった。

なにもいっていないのに、ニルがどんどん夏子から情報を読み取っていく。

「もしかしてぼくのこと、人を売り買いする悪いやつだって教えられた？」

夏子はなにも答えなかった。

ニルが、ふっと笑っていう。

「それ、うそだからね」

とたんに、かっとなってしまった。

「エリくんは、わたしにうそはいいません！」

しまった、と思ったときには遅《おそ》かった。ニルは、やっぱりいわれたんだ、という顔をして、にやにやしている。

「ずいぶん、あの子のことを信用してるんだね」

開き直って、夏子はきっぱりといい返した。

「エリくんは、わたしの味方ですから」

ニルは、うーん、といいながら、ジーンズのポケットに両手をつっこんだ。

「でもさ、あの子はきみにたくさんかくしごとをしてるよね？」

「それは……」

「なんにも知らないんでしょ？　あの子のこと。どこに住んでて、ふだんはなにをしてて、なんのためにぼくのまわりをうろついてるのか。夏子ちゃんには、きっとなんにも話してない。ちがう？」

ニルのいうとおりだった。

夏子はエリのことを、なにも知らない。

「……それが、なんなんですか？　住んでる場所なんか知らなくたって、エリくんが悪い人じゃないってことくらい、わかります」

「うーん、手ごわいなあ。そんなにあの子のこと、信じちゃってるんだ」

ニルは、ジーンズのポケットから手を出すと、夏子に向かって、はい、といって手のひらを見せた。

カラフルなキャンディがひとつ、ころんとのっかっている。

どうぞ、と目でもいわれたけれど、夏子は首を横にふって受け取らなかった。

ニルが、はあ、とため息をつく。

「ホント、夏子ちゃんは手ごわいな。ユキナちゃんとちがって」

ニルの顔からは、いつのまにか笑みが消えていた。

2

警察署の建物から、制服姿のおまわりさんがふたり、つれだって出てきた。

ニルは、ちら、と短く視線を動かしたものの、逃《に》げ出すようなそぶりは見せない。

すぐに夏子のほうに視線を向け直して、いいよ、夏子ちゃんの好きにして、と笑顔を作り直してからいった。

「ぼくを警察につれていきたいのなら、そうすればいい」

「それは……ユキナにはもう近づかないっていう約束は、できないってことですか？」

「しちゃダメっていわれたことほど、したくなる……ってこと、ない？」

しちゃいけない、といわれたことほどしたくなる——。

そういう気持ちは、夏子にもあるのかもしれない。

だけど、そんなのは多分、夜中に甘《あま》いものを食べると太るからやめたほうがいい、とわかっているのに食べてしまう、とか、そんな程度のことだ。

ニルがいっていることとは、次元がちがう。

夏子は無言のまま、ニルの顔をにらみつづけた。

それでもニルは、笑っている。同意してもらえないみたいだなあ、といいながら。

「あ、そうだ」

ふとなにかを思い出した、という顔をして、ニルが夏子を手招きした。

耳を貸して、ということらしい。

「この距離《きょり》でも、聞こえます」

きっぱりと夏子がそういうと、ニルは、しょうがない、とばかりに自分のほうから夏子に近づいてきた。

夏子の耳もとに顔を寄せて、ささやくようにしゃべり出す。

「あの子が夏子ちゃんに教えていないこと、教えてあげようか。知りたくない？」

ニルのいう〈あの子〉というのは、エリのことだ。

エリが自分に教えてくれていないことを、ニルなら教えてくれる。

気持ちがぐらっとなるのを、夏子は感じた。

知りたい、エリのことを。

だけど、いまここでうなずいてしまうことこそが、ニルの狙《ねら》いのような気がする。この人はきっとそうやって、相手を自分のペースに巻きこんでいくにちがいない。

ユキナがほんの短い期間で、ニルとのHOOPにどっぷりと溺《おぼ》れてしまったように。

夏子は、首を横にふった。

「いいです。エリくんのことは、エリくんから聞きます」

ニルは、ふ、と口もとだけで笑った。

「あの子は話さないよ。仕事のじゃまになっちゃいけないからね」

仕事のじゃま？　それって、どういうこと？

自分の意志で話さないんじゃなく、話せない事情があって、話さないでいるっていうこと？

ニルをにらみつけていた夏子の目から、力が抜《ぬ》けていく。

「……座って話せるところに移動しようか」

そういって、ニルは先に歩き出してしまう。

ついていかない、という選択《せんたく》だってできたはずなのに、夏子はそうしなかった。

ニルのあとを追って歩き出した夏子のすぐ横を、ついさっき警察署の中から出てきたふたり組の警察官が通りすぎていく。

夏子は顔をうつむかせたまま、だまって歩きつづけた。


ニルにつれられて歩いているあいだ、二回、スマホが震《ふる》えた。

二回とも、エリからの着信だった。

夏子はきょう、エリにはないしょでニルに会いにきている。

警察にいく、という《脅迫《きょうはく》》を使ってでも、決着をつけるつもりだったからだ。

まわりには知られないようにHOOPをしたい、と伝えてあったのに、それを勝手にユキナに話してしまったのはどうしてなのか。

ちゃんと話をしたら、もしかしてもしかすると、納得できる説明をしてもらえるかもしれない――。

そんな期待も、うっすらとあった。

だから、最後にもう一度だけ、ニルに会って話がしたかった。

話してみて、思ったこと。

この人はやっぱり、こわい人。

エリが教えてくれたように、相手を自分の思いどおりに動かすためなら、なんでもする。

ニルさんは、そういう人だ。

そういう人だったんだ……。

3

座って話せるところ、というのは、いつもは駅前までしかいかない植物公園のことだった。

ニルといっしょに園内に入ったのは、これがはじめてだ。

ニルはときどき、カメラのシャッターを切りながら、先に立って歩いている。

南国風の背の高い植物が群生しているあたりまでくると、ニルは、ベンチを兼《か》ねた流線型のオブジェに、夏子をエスコートした。

ニルの態度は、おだやかそのものだ。

ニルは、夏子を座らせたオブジェに自分も腰《こし》をおろすと、さて、といった。

「じゃあ、さっそくだけど」

腰《こし》をおろすなり、ニルはもったいぶることなく話しはじめた。

「確かにぼくは、あの子が夏子ちゃんに話したとおり、人の売り買いをして生計を立てている。それは、本当のことだよ」

相変わらず、ニルはうっすらとほほえみを浮《う》かべている。

ほほえみながら話すようなことじゃないのに、と思いながらも、夏子はだまって耳をかたむけつづける。

「で、あの子は、そんなぼくをつかまえようとしている、ある組織の一員なんだ」

「……え？」

予想もしていなかった話に、夏子は息をのんだ。

ある組織？　それって、人を売り買いする人をつかまえる専門の組織ってこと？

「そんな組織があるなんて、聞いたことがないです」

「でも、あるんだよ。夏子ちゃんが信じられなくても」

ニルがうそをついているようには思えなかった。

「エリくんは、その組織で働いてるんですか？」

「そう。で、いまはぼくを追ってる。一度、きわどいところまで追いつめられたことがあってね、いってみれば、あの子とは因縁《いんねん》の関係ってやつかな」

自分とたいして変わらない歳《とし》にしか見えないのに、そんな仕事に就いているなんて……。

ますますエリのことがわからなくなっていく。

いったい、どんな境遇《きょうぐう》で育った人なんだろう。

考えこんでしまった夏子の様子をうかがうように、ニルは話すのをやめていた。はっとして顔をあげる。

「ねえ、夏子ちゃん。ここまで聞いて、気づいたことない？」

「気づいたこと……ですか？」

「あの子は、ぼくをつかまえようとしてる。なのに、いまはぼくに接触《せっしょく》しようともしていない。どうしてだと思う？」

いわれてみれば、不思議だった。

夏子がこうして簡単に会えているのだから、エリだって、ニルをつかまえようと思えばつかまえられるはずだ。

それなのに、なぜかニルの行動を見張っているだけ——。

「待ってるんだよ、あの子は。ぼくがユキナちゃんを手に入れて、取引先の相手に引き渡《わた》す瞬間《しゅんかん》をね」

「うそ……」

「うそじゃない。あの子が所属してる組織は、ぼくたちバイヤーが取引先相手と接触《せっしょく》する瞬間《しゅんかん》を狙《ねら》ってる。そのほうが、一石二鳥でしょ？」

「じゃあ、エリくんは、ユキナがニルさんに売られるのを待ってるっていうこと？」

「そうじゃなければ、ぼくの動向をつかんでるのに、見て見ぬふりをしてる理由がないじゃない？」

ニルのいうことは、筋が通って聞こえた。

「エリくんは……ユキナを……」

「そう。利用しようとしてた」

ユキナを、利用……。

「あの子はぼくをつかまえるために、ぼくとのＨＯＯＰにハマっていくユキナちゃんを、だまって見てたんだ。このままいけば、廃人《はいじん》同然になるってわかっていながらね」

もういい、と思った。これ以上、知りたくない。

信じていたのに。

味方だといってくれた、エリのことを。

夏子のほおには、知らないうちに涙《なみだ》が流れていた。

4

ニルにはなんといって帰ってきたのか、ほとんど覚えていなかった。

駅前まで歩くあいだ、ずっと涙《なみだ》が止まらなかったことだけ、覚えている。

こんなに泣いたのは、小学校の低学年のころ以来だ、と思う。

卒業式のときですら、泣かなかった夏子だ。

帰りのバスの中でスマホをチェックすると、エリからの着信がずらずらと出てきた。

すべて、電話だ。

――自分とニルは、メールやHOOPでのやり取りならのぞき見ることができるけれど、さすがに電話はむずかしい。

エリは、そういっていた。

きっと、ニルにのぞき見られることを警戒《けいかい》して、メールではなく、直接、電話をかけているのだろう。

夏子も、メールでニルに連絡《れんらく》をすればエリに知られてしまうと思ったから、電話をかけて会う約束をした。

心配をかけたくなかったからだ。

いまとなっては、そんな気遣《きづか》いをしたこともただむなしいだけだった。

エリは、ユキナを利用してニルをつかまえようとしていた。

味方だっていったのに……。
涙《なみだ》がまたあふれ出てきそうになったところで、自宅近くのバス停に着いた。
目もとをぐいっと手の甲《こう》でぬぐってから、座席を立つ。
バスを降り、歩き出そうとした夏子を、どきりとするような大きな声が呼び止めた。
「夏子！」
ふり返ると、走ってくるエリが視界に飛びこんできた。
反射的に、足が動く。気がついたときには、走り出していた。
エリは、追いかけてくる。
少しのあいだ、追いかけっこする状態になった。
近所の小さな公園の前の歩道で、とうとうつかまってしまう。
うしろから肩《かた》をつかまれて、そのまま羽交いじめされるようなかっこうになった。
「なんで逃《に》げるんだよ！」
エリは、怒《おこ》っていた。
夏子も怒《おこ》りたかった。味方だっていったのに、どうして、と。

だけど、声が出ない。こみあげてくる思いが大きすぎて、なにもしゃべれない。

「……夏子？」

夏子の様子がおかしいことに気がついたエリが、息を止めているのがわかった。

夏子はいま、エリにうしろから抱《だ》きすくめられるようなかっこうになっている。

息づかいのひとつひとつまで、伝わってくる距離《きょり》だった。

「なにかされたのか？　会ってたんだろ、ニルと」

夏子の首の前に回されているエリの腕《うで》に、ぐっと力が入った。

夏子はただ、首を横にふることしかできない。

「だから、あいつには近づくなってあんなに……」

「ちがう……」

やっと、声を出すことができた。

「ニルさんは、なにもしてない……ただ、本当のことを教えてくれただけ」

エリの腕《うで》が、緊張《きんちょう》したようにこわばった。

「……本当のこと？」

エリの腕《うで》の中で、こくりとうなずく。

「なにを聞いた？」

「エリくんが……ニルさんをつかまえようとしてる組織の人だってことや、そのためにユキナを、ユキナのことを……」

それ以上は、言葉にならなかった。

黙《だま》りこんでしまった夏子の肩《かた》を、エリがいきなり強くつかむ。強引に、うしろを向かせられた。

「ニルのいうことに惑《まど》わされたのか？　オレよりも、あいつのいうことを信じたのか？」

近い距離《きょり》からのぞきこんでいるエリの目は、怒《おこ》っているというよりは、傷ついているように見えた。

「じゃあ、ニルさんのいったことは全部うそなの？」

そうだ、といってほしかった。ニルのいったことは、全部うそだと。

そもそもこんな話、信じるほうがどうかしている。

人を売り買いするだとか、そういう人たちをつかまえる専門の組織だとか、とても現実のことだとは思えない。

それでも夏子には、エリとニルがうそをついているようには思えなかった。だから、いわれたことは全部、素直に信じてきたのだけど……。

あんな話、信じてばかだった、と思うことになったっていい。それでもいいから、いまはうそだといってほしかった。

「それは……」

エリは、口ごもった。うそではない、ということだ。

「わたしだって、エリくんのことを信じたいよ。でも、エリくんはなんにも教えてくれない。それじゃあ、信じたくても信じようがないよ……」

突然《とつぜん》、エリの腕《うで》が背中に回ってきた。ぐっと抱《だ》き寄せられる。

肩《かた》の上に、エリの顔がかぶさってきた。

「話さないで済むなら、これ以上は話したくない……ごめん」

ここまでいっても、話したくない、というエリ。

夏子は、無言のままエリの胸を押《お》しやった。

「夏子……」

「いまは、ひとりにして」

そう告げると、夏子はエリに背中を向けて歩き出した。

5

その後、エリからの連絡《れんらく》はなかった。

それもしょうがないことだと、夏子は思う。

エリは信じてほしかったにちがいない。ニルになにをいわれたとしても。

なにがあっても自分は夏子の味方だということだけは、信じてほしい——。

エリはきっと、そう願っていた。

思い出すのは、エリに抱《だ》き寄せられたときの手のひらの熱さだ。背中で感じていたエリの手のひらの熱を思い出すたび、顔から火が出そうになる。

あのときは、意識していなかったから平気だったけれど、よく考えたら、男の子に抱《だ》き寄せられたのなんて、生まれてはじめての経験だったのだ。

だから、くり返し思い出してしまう。抱《だ》き寄せられたときのエリの腕《うで》の力強さや、首すじに触《ふ》れた前髪《まえがみ》の感触《かんしょく》を。

なにより、背中に添《そ》えられていた手のひらの熱さが忘れられない。

エリは、それでも信じてほしい、という思いを伝えたくて、とっさに夏子を抱《だ》き寄せたのだろう。

言葉で伝わらないなら、と。

それでも、夏子はエリを信じることができなかった。拒《こば》んでしまった。

連絡《れんらく》がなくなるのも、当然のことだと思った。


「ねえ、夏子。ユキナ、本当にどうしちゃったの？」

キッシーが急に、真顔でそんなことをいってきた。

ユキナが学校にこなくなって、そろそろ二週間が経とうとしていた。

「このまま退学しちゃうんじゃないってうわさも出てるらしいよ」

「……みたいだね」

「みんな、心配してるよ。ＨＯＯＰもまったく反応しなくなっちゃったみたいだし」

「うん……」

さすがに学校でも、ユキナのことはうわさになりつつあった。

ひどいうわさも出ているようだ。

悪い男にだまされてひきこもっちゃったらしいよ、だとか、ネットがらみのトラブルに巻きこまれたんだって、だとか、夏子にしてみればぎくりとなるようなうわさも、耳にしている。

ユキナをつれもどすのは、いまが瀬戸際《せとぎわ》だと夏子は思っている。

これ以上ユキナが学校にこない日がつづけば、いま以上に悪いうわさは出てくるだろうし、ユキナのお母さんだって、単身赴任中《ふにんちゅう》のお父さんに連絡《れんらく》をしなくちゃいけなくなる。

ユキナの受けるダメージの大きさを考えると、これ以上、事態を悪化させたくなかった。

夏子は、ユキナに会いにいくことを決意した。

どれだけいやがられてもいい。会って話そう。部屋から出てきてくれるまで、いつまでだってドアの前で待とう。

夏子はそう決意して、その日一日を過ごした。

待ち遠しかったような、きてほしくなかったような放課後がやってきた。

同じ制服姿の女の子たちにまぎれながら、夏子もまた、校門を出ていこうとしていたそのとき——。

「夏子ちゃん」

いきなり呼びかけられて、全身に電気が走ったようになった。

「ニルさん……」

黒いコットンのジャケットをラフに羽織ったニルが、校門の前に立っていた。

「ちょっと話したいことがあるんだけど。時間、あるかな？」

女子校の前に、見るからに同世代ではない長身の男の人がいれば、どうしたって目立つ。

校門から出てくる生徒たちが、色めき立っていた。

一刻も早く校門の前を離《はな》れたくて、夏子はあわてて、わかりました、と答えた。

6

植物公園前駅までは、ほとんどなにも話さず、前後して歩いた。

ニルとは、きのうの夜からＨＯＯＰをしていない。ニルが話しかけてこなかったからだ。

植物公園前駅の広場に着くと、ニルが先にベンチに腰《こし》をおろした。

無言のまま、夏子もそのとなりに座る。

「話って、なんですか？」

ニルは、にこっと笑っていった。

「きのうの夜、ＨＯＯＰしてたときにユキナちゃんからたのまれたんだ」

「え？」

「夏子ちゃんに、伝えてほしいって」

「ユキナが……わたしに？」

ニルは、こくりとうなずいた。

「なっちゃんなんか、友だちじゃない。なっちゃんとは、もう口もききたくないって」

思いがけない伝言に、夏子は言葉を失った。

ニルが、うーん、と首をかしげている。

「もしかすると、ぼくも悪かったのかなあ」

「……どういうことですか？」

「ほら、夏子ちゃん、ユキナちゃんのこと心配してるっていってたじゃない？　だから、きのうＨＯＯＰしてたときにちょっといってみたんだよ。夏子ちゃんに連絡《れんらく》してあげたほうがいいよって」

「そしたら、ユキナがわたしのこと……友だちじゃない……って？」

「うん。なんか、急に怒《おこ》り出しちゃって。ニルさんの口からなっちゃんの名前なんか聞きたくないって。余計なこといっちゃったのかな、ぼく」

夏子は、ぎゅっと目をつぶった。

そうしていないと、怒《いか》りのあまりどうかなってしまいそうだったからだ。

とぼけているけれど、ニルはきっと、ユキナがそういうようにわざと誘導《ゆうどう》したにちがいない。

なっちゃんなんて、友だちじゃない。

ユキナ自身にそういわせることに、きっと意味があるのだ。

ニルがユキナを手に入れるために。

「ねえ、夏子ちゃん」

ニルが、急に声色を変えた。表情も、一変している。

見ただけで凍《こお》りつきそうな目つきで、夏子を静かに見つめていた。

「もうこの辺にしておきなよ」

ニルの腕《うで》が、ぬっと伸《の》びてきた。

夏子の肩《かた》を手のひらで包みこんだかと思うと、そのまま乱暴に自分のほうに引き寄せてしまう。

夏子は、ほとんど倒《たお》れこむようにして、ニルの腕《うで》に抱《だ》かれるかっこうになった。

「ぼくの商売は、基本的には生きてる人間だけをあつかってる。でもね、死んだ人間でも買い取ってくれる業者とのつきあいも、あるんだよね」

耳もとでの、ささやくような声。

人じゃないなにかの声を聞いたような気がした。

反射的にニルの腕《うで》の中から逃《に》げ出そうとしたのだけれど、あまりに力が強すぎて、身じろぎひとつできなかった。

「は、離《はな》して……」

「生きたまままつれていくには、本人の意思が必要になるけれど、死人としてつれていく分には、そんなの必要ない。意味、わかるよね？」

つまり、ユキナの代わりに夏子をつれていったっていい、とニルはいっているのだ。しかも、生きたままじゃなくてもいい、もっと乱暴なやり方でつれていく方法だってある、とも。

脅《おど》しかもしれないし、本気かもしれない。どちらにしても、そんなことを面と向かっていってくるニルに、夏子は心底、ぞっとなった。

「け、警察に……」

「いえばいい。こんな話、信じる警官がいると思うのならね」

夏子の中で、ぎりぎりのところで均衡《きんこう》を保っていたなにかが、ぐらりと崩《くず》れる音がした。

こんなのあんまりだ。

でも、こわい。

こんなの許せない。

でも、逃《に》げたい。

押《お》さえつけておきたい思いが、沸騰《ふっとう》しかけていた。あとなにかひとことでもニルからなにかいわれたら、吹《ふ》きこぼれてしまう――。

そう思ったそのとき、

「夏子から離《はな》れろ、ニル」

声が、聞こえた。

顔をあげるとそこには、息を切らしながら歩み寄ってこようとしているエリの姿があった。

7

「夏子から離《はな》れろっていってんだろ！」

近づいてくるエリを、表情のないままニルは見つめている。

エリがベンチの真正面までやってくると、なぜだかニルは、いきなり声をあげて笑い出した。

「びっくりした。まさかきみが、こんな中途半端《ちゅうとはんぱ》なところでぼくの前に姿を見せるなんて」

「どうせ、オレが夏子に接触《せっしょく》したことはもうあんたに知られてた」

「だとしても、きみの立場で捕獲《ほかく》対象者の前に堂々と姿をさらすのは、かなりイレギュラーなことだと思うけど」

「うるさいんだよ。いいから、夏子を離《はな》せ」

夏子の肩《かた》を強く押《お》さえつけていたニルの手から、ふっと力が抜《ぬ》けた。

そのすきに夏子は、ころがるようにベンチを離《はな》れて、エリのもとへと走った。

エリの腕《うで》が、夏子をつかまえる。

そんな夏子を、笑っているのに笑っていないあの顔で、ニルはじっと見つめていた。

「じきにぼくは、〈商品〉をつれてあっちの世界にもどるところだった。きみはただ、そのときを待っていればよかったのに。そんなに夏子ちゃんのことが放っておけなかったの?」

ニルはまるでからかうような口調で、エリに向かってそんなことをいった。

エリは、なにも答えない。

「きみのいままでの苦労が、台なしだね」

そして、だめ押《お》しするようにそんなことをいったニルに、エリの体が、わずかにこわばるのを夏子は感じた。

それでもエリは、なにもいい返そうとはしない。

「どういうこと？　エリくん。わたしのせいで、エリくんがいままでがんばってきたことが台なしって……」

夏子が最後までいい終わらないうちに、エリが大きく首を横にふった。

「ニルのいうことは気にしなくていい」

「でも……」

「いいから」

ニルが、ふふっと笑って、ベンチから腰《こし》をあげた。

「なんにせよ、こうなってしまった以上、ぼくもユキナちゃんのことはあきらめるしかなくなった。ぼくのほうも、いままでの苦労がすべて水の泡《あわ》だ。あと少しだったのに」

トートバッグを肩《かた》にかけて、歩き出そうとしていたニルが、顔だけうしろに向けていった。

「このままあっちの世界に帰るのもしゃくだから、〈商品〉になりかけのユキナちゃんを、夏子ちゃんがもとのユキナちゃんにもどせるのか、見届けてから帰ろうかな」

ニルのくちびるが、にやり、と意地悪げに笑う。

「無理だと思うけどね」

夏子はとっさに、「無理じゃありません！」とさけんでいた。

「ユキナはきっと、もとのユキナにもどれます。ＨＯＯＰやスマホが生活のすべてのままなんて、わたしがさせません！」

ニルは、うんうん、というようにうなずいてみせた。

「やってみて。結果を楽しみにしてる」

そして、それだけをいい残すと、ふり返ることもなく歩いていってしまった。

「つかまえなくていいの？　エリくん！」

あわてる夏子に、エリは静かに首を横にふった。

「ニルから聞いたんだろ。あいつが〈商品〉を取引先に引き渡《わた》す現場を押《お》さえるまでは、オレたちのほうからは動かないって」

そうだった。ニルは確かに、そういっていた。

だからエリは、ニルとのHOOPにどんどんハマっていくユキナをただ見ていたのだ、と。

「オレの仕事は、あいつが〈商品〉を調達して、取引先に引き渡《わた》すまでのあいだ、あいつに気づかれないようにその動向を監視《かんし》することなんだ。引き渡《わた》しの日時をつかんだら、仲間たちと連携《れんけい》して、現場を押《お》さえる。その流れを作れなければ、オレの仕事は失敗したってことになる」

「だったら、どうしてわたしの前に現れたりなんか……」

「夏子があんまり危なっかしいから、見てられなくなったんだよ！」

エリはちょっと怒《おこ》ったようにいって、夏子の手を引きつかんだ。

「夏子はわかってなさすぎる。自分がどれだけ危ないやつに関わってるのか。ニルは本当にやばいやつなんだよ」

エリは、ふう、と小さく深呼吸をした。

「いまから、本当のことを夏子に話す。だから、もう二度と、オレの知らないところでニルに会うような無茶はしないって約束してくれ」

夏子の中で、やっと話してもらえる、とうれしく思う気持ちと、なんだかこわい、と思う気持ちが、激しく入り乱れた。

それでも夏子は、エリの目を強く見つめ返しながら、うん、とうなずいた。

「わかった。約束する」

奪《だっ》還《かん》のエリア

1

オレとニルは、この世界の人間じゃないんだ——。

エリがそう切り出したとき。

夏子はてっきり、平凡《へいぼん》な高校生が送っている日常とはかけ離《はな》れた世界に生きている、という意味で、エリはそんなことをいったんだと思った。

人を売り買いするくらいだから、それは多分、犯罪の世界なんだろう、とも。

「いつから、そんな世界に身を置いているの？」

夏子がそう問いかけると、エリはちょっといぶかしげな顔をした。

「いつからって、生まれたときからだけど……」

「生まれたときから？　そんなむかしから、ずっと？」

エリが、首をかしげている。

「ちょっと待って、夏子。なんか勘違《かんちが》いしてない？」

「勘違《かんちが》い？」

「世界っていうのは、この世界まるごとの話！　夏子がいまいるこの世界とはまったく別の世界があって、オレとニルは、そこからきたっていってんの」

夏子は、エリのいったことを頭の中で反芻《はんすう》した。

それでも、なかなか理解することができない。

「どう説明すればいいんだ？　……えっと、ここは日本だよな。オレがいる世界にも、日本があるわけ。でも、ちょっとずつ、ここはちがう日本なんだよ」

エリは、本当にどう説明すればいいのかわからない、という様子で、考え考え話している。

夏子は、ぽつりと言った。

「……もしかして、ＳＦ小説なんかでよく出てくる設定みたいなこと？」

ぱっと見はよく似ているのだけど、文化だったり、常識だったり、人と人との関係性だったりが、自分がいま生きている世界とは少しずつちがっている世界。

そんな世界があることを知って、さまざまな体験をする主人公が出てくるＳＦ小説を読んだことがある。

作品によっては、マルチバースだったり、多元宇宙だったり、呼び方はいろいろだったと思うけど——夏子がそう話すと、エリは、そうそう、それそれ！とうれしそうな顔をした。

「……ふざけてないんだよね？」

思わずそう確かめた夏子に、エリは、こく、とうなずいた。

真顔でうなずくものだから、ちょっとおかしくなってしまった。

「なんで笑うんだよ」

「ごめん、ちょっと気が抜《ぬ》けちゃったのかも……」

てっきりエリが、幼いころから犯罪の世界で生きてきたのだと思いこんでいたものだから、そうじゃなかった、とわかっただけで、なんだかほっとしてしまったのかもしれない。

よく似てはいるけれど、いまいるこの世界とはまったく別の世界があって、エリとニルはそこからきた——。

その事実のほうが、よっぽどショックを受けそうなものなのに、と思ったら、ますますおかしくなった。

とうとう声を出して笑い出してしまう。

「だいじょうぶか？　夏子」

エリが本気で心配している顔で、横からのぞきこんでくる。

「よかった……エリくんが、犯罪の世界からきた人じゃなくって」

「なんだよ、それ」

エリもようやく、夏子が笑っていた理由に思いいたったようで、気が抜《ぬ》けたように笑ってみせた。

「……ユキナのことは、本当にごめん。ユキナに関しては、ニルのいうとおりだから。ユキナがどんどんニルの思いどおりの状態になっていくのを、ただ見てた」

「それが、エリくんのお仕事だったんでしょ」

「うん……」

だったらしょうがないよ、とは、さすがにいえなかった。もしエリが途中《とちゅう》でニルを止めてくれていたら、ユキナがあそこまでひどい依存《いぞん》状態になることはなかったのだから。

それでも、責める気にはなれない。なにもできずにいたのは、自分も同じだ。

夏子は、もういいから、というように、ただ小さくうなずいた。

エリの話によると、夏子たちの世界とはちがって、エリたちの世界では、別の世界があることは認識されているのだそうだ。

ふたつの世界は、共有している空間の一部分を通じて出入りすることはできるものの、事前に脳への施術《しじゅつ》を受けておかないと、高確率で脳死状態になってしまうのだという。

そのため、エリの世界の人間であっても、一般人《いっぱんじん》は自由にふたつの世界を往来することはできない。

それができるのは、夏子たちの世界を研究している公的機関の人間たちだけ。

それで問題が起きることはなかったんだけど——そういってエリは、どうしてニルのような人を売り買いする人間が現れてしまったのか、話しはじめた。

2

いまから十数年前。

現地調査のため、夏子たちの世界に派遣《はけん》されていた役人のひとりが恋《こい》をした。夏子たちの世界の女性に、恋《こい》をしたのだ。

思いきって自らの正体を明かし、思いを告げたものの、女性には気味悪がられてしまう。

それでもあきらめられなかった彼《かれ》は、女性を強引にさらい、秘密裏に自分の世界へつれ去るという暴挙に出た。

彼《かれ》は、自分と同じように別の世界の人間に恋《こい》をしていた同僚《どうりょう》にだけ、自らの過ちを告白した。

結果、その同僚《どうりょう》も同じ過ちを犯す。

そんなふたりの行為《こうい》は、悲劇を生んだ。望まないまま別世界へとつれ去られたふたりの女性は、脳死状態に陥《おちい》ってしまったのだ。

原因究明のため、ふたりは結託《けったく》し、データに残らないよう、くり返し夏子たちの世界へ渡《わた》るようになる。

「それが、〈温床《おんしょう》〉になったんだ」

「……〈温床《おんしょう》〉?」

「別世界の人間に興味を持つ研究機関や富裕層《ふゆうそう》は、もともと多かったらしい。

彼《かれ》らは、そういう連中からの依頼《いらい》を受けて、別世界の人間を違法《いほう》に調達するようになったんだ。そのころにはもう、脳死状態に陥《おちい》らせることなく、別世界の人間をこちらの世界につれてくることができる方法を見つけ出していた」

「その方法っていうのが……」

「そう、ニルがユキナにやってたやつ。自分の意志で、自分がいまいる場所を捨てさせる」

「そうすると、脳死状態にならずにエリくんたちの世界にいけるの？」

「まあ、細かいことというともうちょい複雑なんだけど、おおまかにはそういうこと」

「……そうやってつれていかれた人たちは、どんな暮らしを？」

「ほとんどは、人体実験の被験者《ひけんしゃ》にされる」

まさか！　という言葉が、のどにつまって出てこない。

だまって目を見開いている夏子に、エリは説明をつづける。

「危険な投薬や手術、心理実験なんかに、こちらの世界では人間とみなされない〈別世界の人間〉を使う。もちろん、非公式だ。記録には、〈霊長類《れいちょうるい》〉もしくは〈哺乳類《ほにゅうるい》サル目《もく》〉としか記されない」

「そんな……」

「だから、研究者相手に売られるのは、脳死してない生きた人間だけ。で、そいつらとは別に富裕層《ふゆうそう》の一部も、夏子たちの世界の人間を欲しがる」

「それは……どうして？　なんのために欲しがるの？」

「剥製《はくせい》にして飾《かざ》るんだよ」

驚《おどろ》きすぎると、逆に冷静になるものなのだろうか。

夏子は妙《みょう》に醒《さ》めた頭で、考えはじめていた。

剥製《はくせい》にして、飾《かざ》る。

なんて残酷《ざんこく》なことをするんだろう、とは思う。でも、まったく同じことを自分たちの世界でもしている。対象が動物なだけだ。

珍《めずら》しい動物の剥製《はくせい》なら、博物館にいけば見ることができる。個人で所有して、自宅に飾《かざ》っている人だっている。

動物実験だって、ふつうにおこなわれている。

エリたちの世界につれていかれたら、自分たちはただの動物。人体実験に使おうが、剥製《はくせい》にしようが、ただの動物なら問題にはならない……。

「こっちの世界の富裕層《ふゆうそう》にとって、夏子たちの世界の人間は、本当に貴重なものなんだ。所有していることがステイタスにもなる」

「そういえばニルさん、死体でも引き取ってくれる取引先はあるんだっていってた……」

「剥製《はくせい》専門の業者も、最近は出てきてるらしいからな」

夏子は小さく身震《みぶる》いをした。

3

エリいわく、〈温床《おんしょう》〉を作った役人ふたりは、その後、公的機関で働いていたころの技術をもとに、別世界の人間をさらってくる組織を作りあげた。

ふたりの違法行為《いほうこうい》が発覚し、その身柄《みがら》が拘束《こうそく》されたあとも、組織は水面下で生き延び、いまなお違法行為《いほうこうい》はつづけられているのだという。

エリが所属しているのは、そうした組織の実態解明のために国が立ちあげた特別委員会だった。

組織の一掃《いっそう》を最終的な目的としてはいるものの、現段階では、組織の資金源となっている取引相手の研究機関や富裕層《ふゆうそう》のあぶり出しが最優先事項《じこう》とされている。

そのため、ニルのようなバイヤーたちの違法《いほう》な渡航行為《とこうこうい》は、見逃《みのが》されているのが現状だった。

「だからエリくんは、ニルさんが〈商品〉といっしょにあっちの世界にもどるまでは、なにもできなかったんだね……」

「くやしいけど、そういうこと」

エリの歯がゆさが、その声からも伝わってくる。

「えっと……でも、どうしてエリくんの歳《とし》で、そんな国の大事なお仕事に関わってるの？」

「こっちの世界では、早くから社会に関わることを国が推奨《すいしょう》してるんだ。だから、どの機関にも、ユースメンバーシステムが導入されてる」

「ユースメンバーシステム？」

「将来、公的機関で働くことを希望する高校生たちで構成されてて、長期休暇《きゅうか》期間中には、現場にも出してもらえるんだ」

「じゃあ、エリくんも……」

「将来は、夏子たちの世界を研究している機関で働きたいって思ってる」

そこまで話したところで、エリはちょっとまゆをひそめた。

「前にも、あと少しってところでニルを取り逃《に》がしてるし、今回の失敗が重なると、採用試験を受けさせてもらえるか、微妙《びみょう》な感じかもだけど……」

「え、そうなの？」

「ユースメンバーは、現場での働きがそのまま内申点に反映されるんだ。採用試験は、内申点がよかったメンバーしか受けさせてもらえない」

エリの仕事を邪魔《じゃま》したのは、まちがいなく夏子だ。

「わたしがエリくんの忠告を無視して、ニルさんに接触《せっしょく》したから……」

「ニルにバレるかもしれないってことは、想定内だった。それでもいいと思って、オレは夏子の前に姿を見せたんだ。だから、それは気にしなくていい」

「でも……」

「いいんだ。オレがしたかったから、したことなんだから」

夏子を見つめるエリの目は、やさしい。

「ユースメンバーでいられるあいだに挽回《ばんかい》すればいいだけだって」

やさしくされると、余計に胸が痛む。夏子はただ、うん、とうなずくのがせいいっぱいだった。

植物公園前駅の広場には、夏子とエリのふたり以外には、誰《だれ》の姿もない。

そろそろ日も暮れはじめていた。

「で、ユキナのことだけど」

急に口調をあらためたエリに、夏子は、はっとなった。

「本人もいってたとおり、ニルはこのまま、ユキナのことはあきらめると思う」

「じゃあ、ユキナは……」

「もう二度と、ニルのほうから接触《せっしょく》することはないはずだ」

ユキナはもう、ニルの魔《ま》の手に落ちることはない。

そう断言されてほっとする一方で、いまのユキナにとって、ニルの存在がいきなり消えてなくなることがどれほどのダメージになるんだろう、と不安にもなった。

「これからは、ニルさんとの戦いじゃなくて、ユキナをいまの依存《いぞん》状態から救い出すための戦いになる……ってことだね」

夏子がそういうと、エリは、こく、とうなずいた。

「借りてたマンションの解約やらなんやらで、もう何日かはこっちにいられるから」

だから、なにか困ったことがあれば、いつでも連絡《れんらく》して、とエリはいってくれた。

不安な気持ちに揺《ゆ》れていた夏子にとって、これ以上ないほど心強い言葉だった。


エリと別れると、夏子はその足でユキナの家へと向かった。

ユキナの家に、明かりはまだついていなかった。ユキナのお母さんは、夕飯の買い物にでも出かけているのだろう。

インターフォンを、三回ほど鳴らしてみた。応答はない。

夏子はそっと門を開くと、こっそり中に入った。

玄関《げんかん》のすぐ横には、小さな物置がある。

ユキナが鍵《かぎ》をなくしてしまったとき、この物置からよじのぼって、ユキナの部屋の窓から家の中に入ったことがあった。

夏子は、意を決して物置によじのぼった。

難なく物置の屋根に登ることに成功した夏子は、さらに、ユキナの部屋の窓の前に取りつけてある鉄柵《てっさく》に手をかけた。

窓を軽くノックしながら、呼びかける。

「ユキナ、わたし。夏子だよ」

くり返しノックをつづけるうちに、幾何学模様《きかがくもよう》のカラフルなカーテンが、ちょっと揺《ゆ》れたような気がした。

「ユキナ！　お願い、ちょっとでいい。話がしたいんだ。ここ、開けて？」

夏子は必死でユキナに呼びかけた。

まだ迷っているように、のろのろとした動きで、カーテンが開いた。

細く開いたすき間から、ユキナの顔がのぞく。

何週間かぶりに見た、ユキナの顔だった。

4

のどが勝手に、ごくりと鳴る。

まるで亡霊《ぼうれい》のようだ、と思った。

ただ痩《や》せたのではない、異様なほおのこけ方をしたユキナの顔が、そこにはあった。

「ユキナ……」

夏子が窓ガラスに両手を押《お》しつけると、反対側から、ユキナも同じように窓ガラスに手のひらを押《お》しつけた。

涙《なみだ》が出てしょうがなかった。

ひとなつっこくて、まとわりつく子犬のようにいつも夏子のそばにいたユキナ。

そのユキナがいま、やせこけたほおに笑みのひとつも浮《う》かべることなく、光のない目で夏子を見つめている。

「……ユキナ……」

ひたいをこすりつけた窓ガラスが、カタン、と軽く揺《ゆ》れた。

ユキナが鍵《かぎ》をはずしてくれたのだ。

夏子は急いで窓を開けると、ほとんどユキナに飛びつくようないきおいで、部屋の中に入った。

「ありがとう、ユキナ、ありがとね、中に入れてくれて……」

ユキナは、ぼんやりと夏子の顔を見つめている。その手にはスマホと、そして、夏子が数日前に出した手紙が、ぎゅっとにぎられていた。

読んでくれたんだ、と胸が熱くなる。

開いたままだったユキナの目から、大粒《おおつぶ》の涙《なみだ》がぽろぽろっと立てつづけにこぼれた。

「なっちゃん……ユキナさあ、もう何日、学校にいってないのかな……」

「だいじょうぶ。だいじょうぶだよ、ユキナ。あしたから、いけばいいんだから。いままでのことなんか、考えなくていい」

思わずユキナの体を抱《だ》き寄せる。

部屋着の中で体が泳いでしまっているユキナの背中を、強く抱《だ》きしめた。

「でもね、なっちゃん……ユキナ、ニルさんとＨＯＯＰしてないと、不安で不安でしょうがないの。そんなんじゃ、学校いけないでしょ？」

ユキナの口から出たニルという名前に、夏子はどきっとなった。ユキナはまだ、ニルからのコンタクトが完全に途絶《とだ》えてしまうことを知らない。

「わたしとすればいいよ！　わたしのＨＯＯＰのＩＤ教えるから。ね？」

ユキナは、思い詰《つ》めたような顔をして、夏子を見つめている。

「……ユキナ？」

「だめだよ、なっちゃん……ユキナ、そんなんじゃもう無理なの……」

そういってユキナは、その場にくずれるように座りこんでしまった。

「だって、なっちゃんは一日中ずっとＨＯＯＰばっかりやったりできないでしょ？」

「それは……そうだけど」

「ユキナは、できちゃうんだよ。できちゃうどころか、そうしてないといてもたってもいられないの」

「だったら、直そうよ！　ちょっとずつでもいいから」

「無理……無理だよ、なっちゃん。ユキナ、いつ話しかけてもすぐ返事してくれるニルさんがいないと、もうだめになっちゃった……」

そこまで依存《いぞん》してしまっているニルに、もうじきユキナは冷たく突《つ》き放されることになる。

どれだけ待ってもメッセージは届かなくなるし、いくら話しかけても応えてもらえなくなるのだ。

そんなことになったらユキナは——。

夏子は思った。だったらいっそ、と。

夏子は、ユキナがその手ににぎったままにしていたスマホを、強引に奪《うば》い取った。

「やだ、なにするの？　なっちゃん。やめて！」

「ユキナ、いますぐ選んで。わたしか、ニルさんか。ユキナがこれからもニルさんとHOOPをつづけるのなら、わたしはもう、ユキナの友だちをやめる」

「なっちゃん……」

「いままで恥《は》ずかしくてちゃんといったことなかったけど、わたしだってユキナのこと、大好きだよ。でもね、ニルさんに依存《いぞん》してるユキナのことまでは好きになれない。そこは、ゆずれないよ」

「でも……ユキナはニルさんがいないと、もう……」

「時間がかかってもいいから、ニルさんとのHOOPに依存《いぞん》してなかったころのユキナにもどろう？　そのためには、いったんニルさんとのHOOPはやめなくちゃだめだと思う」

「無理！　そんなの絶対に無理だよ！」

「やってもみないで、なんで無理だってわかるの？　やってみようよ。ニルさんをユキナのＨＯＯＰからはずそう」

「無理だよ、そんなの絶対、無理……」

無理だとくり返しながらも、ユキナの気持ちが揺《ゆ》れ動いているのがわかる。

ユキナにも、このままじゃいけないという思いがある証拠《しょうこ》だ。

きっとユキナも、もうわかっているのだろう。

ひとつのことに病的にはまりこんで、ほかのことはどうでもよくなってしまう状態のおそろしさが。

ＨＯＯＰに依存《いぞん》するということは、まさしくその状態なのだということが。

「ユキナ、わたしを選んで。お願いだから」

ユキナに選ばせたかった。

ニルから一方的に関係を断ち切られるのではなく。

たとえあとで、あのときなっちゃんがあんな脅迫《きょうはく》じみたことをしたせいで、ニルさんを失ってしまった、と責められてもよかった。

これ以上、ユキナがニルに傷つけられずに済むのなら。

5

結果的に、ユキナは夏子を選んだ。

さんざん悩《なや》んで、最後には、なっちゃんと友だちじゃなくなるのはいやだといってくれたのだ。

夏子の目の前で、自分のＨＯＯＰからニルのＩＤも消してくれた。

これでユキナをニルさんから引き離《はな》すことができる。

そのときは、そう思ったのだけど――。


「なっちゃんのせいだからね！　なっちゃんがニルさんのＩＤ消させたりするから、ニルさん、メールの返事もしてくれなくなっちゃったんだからね！」

最初の三日間くらいは、ユキナはニルのＩＤを消したことを悔《く》やみつづけていた。耐《た》えきれず、サイトにメールを送ってしまったらしい。そして、返信はなかった。

ユキナは、執拗《しつよう》に夏子を責めつづけた。ＨＯＯＰでも、メールでも、電話でも。感情のすべてを怒《いか》りに支配されてしまったかのように。

次にユキナを襲《おそ》ったのは、激しい喪失感《そうしつかん》だった。

自分にはもうなにもない、生きていてもしょうがない、とまでいい出した。

そんなユキナに、夏子はくり返し、自分がいるよ、と語りかけた。なっちゃんじゃ意味がない！　と怒鳴《どな》られたこともある。

それでも、自分がいるよ、と伝えることはやめなかった。

そんな毎日が一週間近くつづいたあと、唐突《とうとつ》に、ユキナは夏子の家にやってきた。

玄関《げんかん》のドアを開けた瞬間《しゅんかん》、ユキナは夏子に抱《だ》きついて号泣した。

いままでごめんなさい、といいながら泣きつづけるユキナに、夏子はやっぱり、だいじょうぶだよ、これからもわたしはユキナのそばにいるからね、とくり返した。

ユキナの感情の激しい波は、その日を境に少しずつおだやかになっていき、絶えまなく着信がある状態になっていた夏子のスマホも、徐々《じょじょ》に光が灯ることが減っていった。

「で、やっと学校にもいくようになったのか」

「うん、やっときょうから。ちゃんときてくれたよ」

「そっか。よかったな」

「うん……」

スマホの向こうから聞こえてくるエリの声は、やさしい。

まるで自分を憎《にく》んでいるような言動をくり返すユキナとのこれまでのことを、夏子はエリにしか話していない。

エリだけが、知っていた。

HOOPへの依存《いぞん》からユキナを解放するための、夏子のたったひとりの戦いを。

――ちがう。

ひとりじゃなかった。エリも、いっしょだった。エリがいる、エリが全部知ってくれている、と思うことで、夏子は強くいられたのだから。

そして、ユキナはきょう、とうとう学校にもどってきた。

電源が入れられないようタオルでぐるぐる巻きにしたスマホといっしょに。

ユキナはまだ、スマホに触《ふ》れていないと不安になるのだという。だから、タオルで包んだ状態でなら、授業中でもスマホを手に持っていてもいい、という許可を担任の先生からもらったのだ。

少しずつ、ユキナはスマホをいじらない時間を増やしている。攻撃的《こうげきてき》なほどだった夏子へのＨＯＯＰのメッセージも、メールの数も、ぐっと減った。

夏子のほうから、もうやめて、といったことは一度もない。ユキナが、自分から減らしていってくれたのだ。

ひととおり近況《きんきょう》を話し終えると、夏子は大きく深呼吸をした。

エリは明日、自分の世界へ帰る。

こちらで済ませなくてはいけなかった用事が、すべて終わってしまったのだ。

いまは、荷造りをしているところだという。

「エリくんの借りてる部屋って、どこにあるの？」

「駅前の大きなスーパーあるじゃん。あの上のマンション」

「えっ？　Ｒマンション？」

「そうそう」

別世界の人間が、地元の人間にはなじみ深いスーパーの上にあるマンションに部屋を借りて住んでいる、というなんだか不思議な感覚に、夏子はあらためて、エリのことをもっと知りたくなった。

それなのに、エリは明日、自分の世界へもどっていってしまう。

ユースメンバーのエリが、次の現場に出ることができるのは、学校が長期休《きゅう》暇《か》期間に入ってからになるらしい。

それはつまり、だいぶ先にはなってしまうけれど、エリはまた、こっちの世界にくるということだ。

「会えるよね？　また」

だから、なんの気なしにそういったのだけど、スマホを通して聞こえてくるエリの声は、思いつめたように暗かった。

「それは、できない」

「え？」

「オレは夏子に、夏子たちの世界とは別に、もうひとつの世界が存在していることを話してしまった。だから、オレは夏子の記《き》憶《おく》を消してからあっちに帰らなくちゃいけないんだ」

「うそ……いやだよ、そんなの！　エリくんのこと、忘れちゃうってこと？」

だから、エリはあんなに、本当のことを話すのをしぶっていた？

「そんな……」

夏子は、絶句した。

6

夏子が絶句していると、耳もとからかすかに、笑いをこらえている気配が伝わってきた。

「……エリくん？」

こらえきれなくなったように、エリが声をあげて笑い出す。

「うそだよ、うそ。そんなルールない」

夏子はしばらくぽかんとしたあと、からかわれたのだと気がついた。ひどい！　とさけぶ。

エリはまだ、笑っていた。

「話したくなかったのは、本当。前にさ、仕方なく本当のことを話したら、なんていうか……精神的に不安定になった人がいたから。ちょっと慎重《しんちょう》になってた」

エリによると、必要があればこっちの世界の人間に、もうひとつの世界が存在することを話してしまってもいいのだそうだ。

本当のことを話しても、夏子の世界の人たちは、基本、信じないから――。

それが、話してもいい理由だという。

「でも、信じる人だっているでしょ？」

「もちろん、いるよ。ただ、さっきもいったように、精神のバランスをくずす人のほうが多い。夏子みたいに、けろっとして受け入れる人も中にはいるけど、そういう人は特に騒《さわ》ぎ立てたりもしないしな」

「だから、話してしまってもかまわない……ってこと？」

「そう。話すか話さないかは、各自の判断に任されてる。話さないことでトラブルが起きそうなら、話しちゃったほうがいい場面だってあるわけだし」

「わたしが読んだSF小説なんかだと、もうひとつの世界があるってことがわかると、社会全体がパニックになるからって、登場人物たちが右往左往してたけどな」

「実際には、そんなふうにはなんないと思う。夏子の世界の人たちってホント、信じたいことしか信じないから」

エリの世界の人たちからは、そんなふうに思われてるんだ、と思ったら、なんだかちょっと恥《は》ずかしいような気分になった。

なんとなく、エリの世界の人たちのほうが成熟しているような印象を受けたからだ。

ＩＴ系の技術も進んでいるようだし、高校生であるエリが、ユースメンバーという立場ながらも、国の重要な仕事に参加している点からも、社会全体が熟していることを感じさせる。

「ちょっと見てみたいな、エリくんたちの世界」

冗談《じょうだん》まじりにいった夏子のつぶやきに、予想外に真面目な様子でエリが答えた。

「だったら……いっしょに、くる？」

「え？　いってもいいの？」

「夏子が望むなら」

「それだけでいいの？　その、なんていうか、条件みたいなものはないの？」

「とりあえず、望めばいい。自分がいままで生きてきた世界を捨てて、もうひとつの世界へいきたいって。それが、条件みたいなもんかな」

なんだか急に、話が抽象的《ちゅうしょうてき》になった。夏子が首をかしげていると、見えていないはずなのに、察したようにエリが説明を足してくれた。

「ニルはユキナに、ほかのことなんてどうでもいい、なにもかも捨てていいって思わせようとしてただろ？　夏子たちの世界の人間がこっちの世界にくるには、まず、そう思わせなくちゃいけない。そうしないと、暗示がかけられないんだ」

「暗示？」

「一時的に、自分が次元の異なる世界の人間だってことを忘れさせるんだ。そうやって移動しないと、脳がブラックアウトしちゃうから」

つまり、ニルがあれだけ時間をかけてユキナを自分に依存《いぞん》させていたのは、暗示をかけるために、脳をゆるんだ状態にさせるためだったのだ。

なにかに依存《いぞん》すれば、ほかのことはどうでもよくなる。その状態が、脳がゆるんだ状態、ということなのだろう。

暗示をかけずに次元をまたいで移動をすると、脳が死んでしまう。

だから、ニルたちバイヤーは、時間をかけて夏子たちの世界の人間の精神状態をあやつって、いまいる世界をきらわせる。そうやって脳をゆるませているのだ。

「それには、HOOPなんかホント便利なツールなんだよな。依存《いぞん》させるにはもってこいだから」

エリのなにげないつぶやきに、夏子は、ぞくりとなった。

HOOPのようなアプリは、あまりにも夏子たちにとって身近なものだ。その身近なものが、場合によっては自分が想像したこともないような世界への入り口になっているかもしれない。

たまたま知り合った人と、気軽にはじめたやり取りが、取り返しのつかない状況《じょうきょう》へとつながっているかもしれないのだ。

ユキナを間近で見ていた夏子には、わかる。それがどんなにおそろしいことか。

「……本当に、ついていっちゃってもいいの？」

夏子が不意にそういうと、エリはほんの少しも迷うことなく、うん、と答えた。

「夏子たちの世界の人間を受け入れる体勢はまだ整ってないけど、夏子が本当にオレといっしょにくる気があるなら、向こうに着き次第、上の人にかけあってなんとかするから――」

今度は夏子が、途中《とちゅう》で笑い出してしまった。

「ごめん。さっきの仕返し。いきたいけど、いまはちょっと無理……だと思う」

それを聞いたエリは、どこか安堵《あんど》したような、それでいてさみしそうな口調で、「ひってぇの」とつぶやいた。

「いまは、だよ？」

「え？」

「先のことは、わかんない」

「……そっか。そうだよな、うん」

エリとの電話を終えてすぐ、メールが届いた。

ニルだった。

【珍《めずら》しいケースを見せてもらったよ。じゃあね、ばいばい】

ただそれだけの文面だったけれど、夏子にはそれが、ニルなりの敗北宣言なのだということがわかった。

7

「あ、暗くなった」

「はじまるね」

お別れの日。

夏子はエリと、映画館の中にいた。

ショッピングモールに併設《へいせつ》された、大型の映画館だ。

もちろん、思い出作りのためなんかではない。

エリはここから、自分の世界へ帰るのだ。しかも、映画が上映されている最中に。

最初にそう説明されたとき、夏子はてっきり、ふざけているのだと思った。当然だ。上映中に、ただスクリーンを観ながら座っているだけでいい、といい出したのだから。

最後にデートっぽいことをしたかったのかな、とも思ったけれど、それをいう勇気はなかった。

平日の夕方だからか、かなりすいている。中央付近でスクリーンの真正面、という人気のある席に座ったのに、前後左右、だれもいない。はなれたところにぽつぽつと、数組のお客さんがいるだけだ。

大音量と、暗闇《くらやみ》の中での光の点滅《てんめつ》。

この条件がそろったうえで、エリが身につけている腕時計《うでどけい》に現在地を確定させれば、それでいいのだという。それだけで、夏子たちの世界と、エリたちの世界をつなぐ次元のゆがみのようなものが出現するらしい。

条件を満たすため、選んだ映画はSF寄りのファンタジーだった。シリーズの二作目だ。エリは当然のことながら、夏子も一作目は観ていない。

冒頭《ぼうとう》から、大爆発《だいばくはつ》が起きて研究所が吹《ふ》っ飛んだり、異空間でのカーチェイスで爆音《ばくおん》がとどろいたり、と期待通りの内容だった。しかも、一作目を観ていなくても、十分おもしろい。

主人公とヒロインの女の子が、とんでもない場所に立った。五十階以上の高さがある超高層《ちょうこうそう》ビルの屋上だ。

渋滞中《じゅうたいちゅう》の車のテールランプや、無数の窓の明かり、ネオン看板のカラフルなまたたきが、宝石を散らしたように眼下で光り輝《かがや》いている。吹《ふ》きさらしの地面のすぐ向こうはもう、なにもない空間だ。

ふたりの立った場所だけが、天空に浮《う》かんでいるようだった。

主人公は、ここから飛びおりて目的の異空間に移動するのだという。

このビルの屋上から二百メートルほど下に、目指す異空間への入り口が存在しているのだそうだ。海に飛びこむように体を投げ出せば、その入り口に飛びこむことができるらしい。

となりの席のエリが、こそっと夏子に耳打ちしてきた。

「オレも、あのやり方で帰れたんだけど」

「え？」

「駅前に四十二階建てのビルあったよな。あそこの屋上と地上のあいだにも、夏子たちの世界とオレたちの世界をつなぐ次元のゆがみを出現させられる。夏子がこわがるかと思って、その帰り方はやめたんだ」

フィクションの設定とエリたちの世界の現実が、まさかリンクするなんて、と夏子は驚《おどろ》いた。

驚《おどろ》いているあいだにも、映画は進む。

主人公が、屋上のへりぎりぎりのところに立った。ヒロインが呼びとめる。ふり返った主人公のほおに、不意打ちで短いキスをした。

主人公は一瞬《いっしゅん》、びっくりした顔をして、それから、わざと足もとをふらつかせた。

まばゆい夜景に向かって、うしろ向きのまま、ゆっくりと倒《たお》れていく。

SF寄りのファンタジー映画らしい、せつない別れのシーンだった。

もしエリが、駅前の四十二階建てのビルから帰る方法を選んでいたら、自分も同じことをした?

わからない。映画のヒロインのように、これきり会えなくなる、という状況《じょうきょう》だったら、できたかもしれない。

自分たちはちがう。

これきり二度と会えないわけではない。

いつかまた、仕事でこちらの世界にやってきたときには必ず連絡《れんらく》する。照れながらもエリは、そういってくれた。

だから、これでいい。

まるでデートのように、映画を観ながらのお別れで。あしたまた、会えるような気軽さで別れていい。

場面が切り替《か》わって、劇場につかの間の静寂《せいじゃく》と薄闇《うすやみ》が訪れた。

予感がして、顔を横に向ける。

エリがいなくなっていた。

となりの席には、もうだれも座っていない。

エリがひじを置いていた肘《ひじ》かけを、そっと撫《な》でてみる。ほんのりと体温が残っていた。

エリくんは確かに、ここにいた——。

映画を最後まで観なくちゃ、と思う。いつか再会したとき、ラストがどうなったか教えるためだ。

指先でほおの涙《なみだ》をぬぐうと、夏子はスクリーンに向きなおった。

夏子がエリと映画館にいたころ。

だれかが新たに、ＨＯＯＰへの登録を済ませようとしていた。

なんのおそれもなく、みんながやっているから、と。

夏子とユキナが経験したようなことが起きるかもしれないなんて、誰《だれ》も思いはしない。

——登録完了《かんりょう》。

新たなアカウントが、またひとつ増えた。

了《りょう》

作者・石川 宏千花（いしかわ ひろちか）

東京都在住。『ユリエルとグレン』で講談社児童文学新人賞佳作、日本児童文学者協会新人賞受賞。『拝啓パンクスノットデッドさま』（くもん出版）で日本児童文学者協会賞受賞。著書に、「お面屋たまよし」シリーズ、「死神うどんカフェ１号店」シリーズ（以上、講談社）、『わたしが少女型ロボットだったころ』（偕成社）、『見た目レンタルショップ　化けの皮』（小学館）、『青春の帝国』（あすなろ書房）、『G65』（さ・え・ら書房）などがある。

本書『電子仕掛けのラビリンス』は、NHKオンライン内ネットコミュニケーション小説として発表された作品に加筆・修正した。

電子仕掛けのラビリンス

2024年３月初版
2024年３月第１刷発行

作者　石川宏千花
発行者　鈴木博喜
発行所　株式会社理論社
〒101-0062　東京都千代田区神田駿河台2-5
電話　営業03-6264-8890
　　　編集03-6264-8891
URL https://www.rironsha.com

装画　tabi
装幀　長﨑 綾（next door design）
組版　アジュール
印刷・製本　中央精版印刷
編集　小宮山民人

ISBN978-4-652-20605-8　NDC913　B6判　19cm　P174